DEVOCIONAL DE 30 DÍAS

NO PARES

tu historia acaba de empezar

Anna Ly

Con mucho amor
para ti, de:
Anna Ly

Dedicatoria

A la hija que ahora mismo está dentro de mi vientre. Empecé a escribir este libro pensando en ti, sin saber que Dios me iba a dar el privilegio de tener una niña. Querida Ivanna Mía, que este libro te recuerde lo especial que eres para Dios y tus padres. Tu valor no reside en tu exterior sino en tu propia esencia. Aférrate a las verdades que Dios ya ha dicho sobre ti. Lo llevas marcado en tu nombre: *«Aquella que posee la belleza interna»*.

A todas las mujeres que han luchado con su autoestima y se han mantenido calladas en esa lucha. A esa mujer le dedico este libro. Es hora de que seas libre, que conozcas tu valor y descubras esa belleza interior que solo se puede encontrar en el corazón de Dios. Por favor, no pares; tu historia acaba de empezar.

Agradecimientos

Quiero agradecer a Dios
por permitirme hacer este sueño realidad;
jamás pensé que sucedería tan rápido.
Este libro vino como
una respuesta del cielo a mi vida.
Siento como si cada día y cada capítulo
fuera una carta de mi Padre Celestial,
para recordarme diariamente,
con su Palabra, quién soy en Él.

También quiero agradecer a mi querido esposo, Anuar Eljadue, por ser esa voz que me inspira a dar forma y color a esos proyectos que han estado en mi corazón desde que era niña. Gracias por darme la mano y acompañarme en este proceso de búsqueda de la belleza interior, por afirmarme en los días grises y recordarme el amor de Dios. ¡Te amo!

Gracias a nuestro pequeño, Elías Gael, porque a tu corta edad ya has logrado impactar mi vida y me has ayudado a convertirme en una mejor versión de mí misma. Me has invitado a ver el mundo desde otra perspectiva y con otros ojos: los ojos del amor. Gracias, Ivanna Mía, aunque todavía no has nacido, ya me has llenado de tanta inspiración. Gracias a toda mi familia, han sido una pieza fundamental para poder escribir y encontrarme. Gracias por sus consejos y oraciones. Papá, mamá, hermana, los amo con todo mi corazón.

Gracias a mi amada profesora, Miss María Rosa Pin, que sembró en mí la semilla del amor por la lectura cuando estuve en el colegio, y que ahora me dio el honor de brindarme su apoyo y consejos para el desarrollo de algunos capítulos de este libro.

Gracias a mi querida Kari Bartkus, por ayudarme con la edición en inglés del libro, junto con *Encouraging Word (The Love Does That)*. Tu trabajo es fabuloso. Gracias, Laura Villa por ayudarme a desarrollar ideas y dejar tu esencia en ellas. Gracias a Elsa Ilardo de Hispanos media y a Arean Molina, se lucieron con el concepto de la portada. Elsa, llegaste como respuesta a mis oraciones, gracias por guiarme en el proceso. Kerstin Lundquist, gracias por hacer la primera revisión del libro. Gracias, Gisella Herazo por abrir un espacio en tu apretada agenda y ayudarnos a darle forma a este precioso material. He sido muy bendecida de contar con profesionales como ustedes.

Gracias a todos los que han creído en este trabajo y han contribuido para que se complete. Desde el fondo de mi corazón, les dedico este material y espero que sea de bendición para sus vidas como lo ha sido en la mía. Hoy y siempre, **¡NO PARES!**

Contenido

¡Bienvenida al inicio de tu historia!

Hoy comienzan treinta días transformadores. Escribí este devocional para ti, para alentarte a recordar tu valor en Cristo, para que sigas caminando con la frente en alto, cuidando tu corona en esta carrera de la vida.

En cada lectura encontrarás historias y versículos bíblicos, pero además te contaré algunas experiencias personales que no he compartido antes. Abriré mi corazón para que juntas, con la ayuda del Espíritu Santo, podamos ir en búsqueda de nuestra belleza interna. Durante los próximos días recibirás la fortaleza de Dios en medio de tu vulnerabilidad, obtendrás sabiduría en aquellos temas que toda joven cristiana enfrenta en esta sociedad, como la autoestima y la verdadera belleza; y lo más importante, descubrirás cómo tener una relación más profunda con Dios.

Te invito a que separes un tiempo y un lugar para ti, porque al final de cada devocional tendrás un espacio para reflexionar sobre el mensaje, respaldado con las Escrituras, y algunas preguntas de análisis para considerar o discutir en grupo.

¿Estás lista? Si tu respuesta es sí,
avanza y **¡NO PARES!**

En Busca de la belleza interna

«Que su belleza sea más bien la incorruptible, la que procede de lo íntimo del corazón y consiste en un espíritu suave y apacible. Esta sí que tiene mucho valor delante de Dios».

(1 Pedro 3:4)

Recuerdo que los primeros años de mi infancia fueron alegres; tuve la bendición de conocer de Dios a temprana edad. Soy nieta de pastores y, como tal, todo apuntaba a tener una vida *«color de rosa»*. Pero, al llegar a la escuela, me encontré con la difícil realidad de convertirme en reina; reina de apodos y de burlas. Fueron tantas mentiras que recibí cuando era niña que empecé a adoptarlas como mi verdad.

Cambié de escuela muchas veces porque mis padres buscaban una manera de proteger mi corazón. Estaba por perder totalmente mi autoestima. Sé que no he sido la única que ha tenido este problema; de hecho, he escuchado a muchos decir: *«yo también fui víctima de acoso»* o *«eso nos pasa a todos»*. De alguna manera esta situación se ha convertido en algo *«normal»*, y no le hemos dado importancia a la necesidad de sanar estas heridas, para que en el futuro no se conviertan en una sombra que llegue a truncar nuestros sueños.

Si analizamos nuestro entorno, nos daremos cuenta de que, desde un principio, hemos sido atacadas con mentiras, como las que el enemigo utilizó con Eva; porque, sin lugar a duda, su objetivo es destruirnos. Sí, destruirnos, sembrando dudas en nosotras para así bajar nuestra autoestima. Dudas que muchas veces nos hacen preguntar: *«¿por qué soy fea?»*, *«¿por qué no tengo lo que se necesita?»*, *«¿por qué no soy buena esposa, buena madre, buena hija?»* Y tanto más... ¿Recuerdas las palabras que la serpiente le dijo a la mujer? *«Lo que Dios dijo no es verdad»*. ¿Te suena familiar la frase?

Asistí a un congreso para jóvenes fuera de mi país. Un pastor que no conocía estaba orando por los que recién se habían graduado (yo estaba en este grupo). El pastor estaba al otro extremo y no pensé que llegaría mi turno. De un momento a otro, él se dio la vuelta y dijo: «*Los últimos serán los primeros*». Prosiguió a decirme que pronto estaría en un programa de televisión como conductora; pero que no sería mi apariencia física lo que llamaría la atención, sino la belleza interna que Dios había depositado en mí. «*¿Qué belleza interna?*», me pregunté. No sabía si había quedado rastro de belleza en mí. Pero en ese momento entendí lo importante que era tenerla y preocuparse por ella, más que por las cosas materiales.

Una mujer que sabe quién es, es dinamita en las manos de Dios. Eso no significa que no me guste el maquillaje; ¡me encanta vestirme bien! (¿a quién no?) Puedo pasar horas arreglándome para entrevistas o conciertos; pero ¿qué es lo que realmente agrada a Dios? ¿Qué le interesa que cuidemos? La respuesta es: nuestro corazón.

Solo podemos vencer los pensamientos de inseguridad y temor meditando en la Palabra de Dios. Esto nos ayudará a guardar nuestro corazón, fortalecer nuestras emociones, y será nuestra mayor arma para no tomar malas decisiones. La Palabra en nuestro corazón nos mantendrá firmes cuando los días malos toquen a nuestra puerta.

Es importante cambiar en nuestra mente el concepto, que nació en la sociedad, de que la belleza se mide por la apariencia. Dios no mira cómo nos vemos por fuera, sino lo que hay por dentro; eso es lo más importante. Si desarrollamos nuestra belleza interior, esta se reflejará en todo lo que seamos y hagamos.

Preguntas de reflexión:

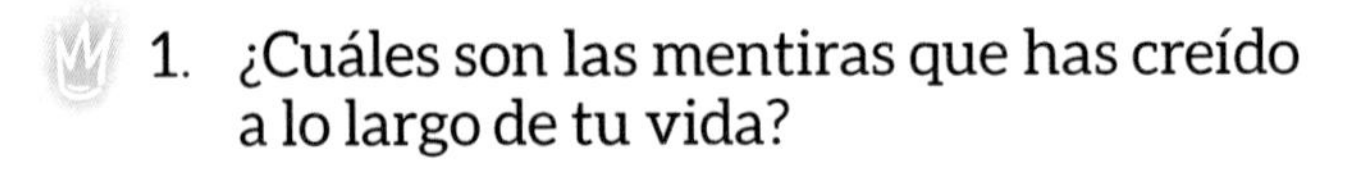

1. ¿Cuáles son las mentiras que has creído a lo largo de tu vida?

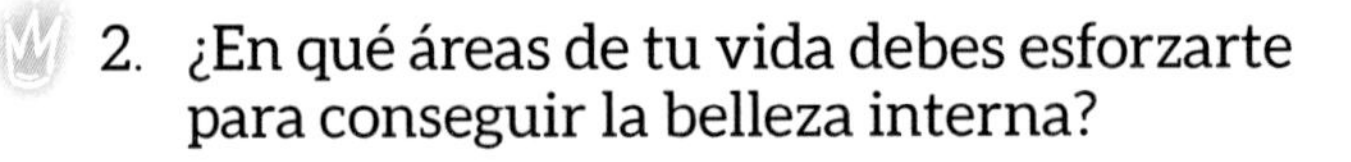

2. ¿En qué áreas de tu vida debes esforzarte para conseguir la belleza interna?

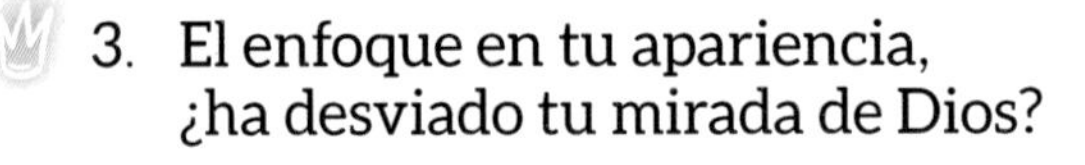

3. El enfoque en tu apariencia, ¿ha desviado tu mirada de Dios?

«¿Quién te dijo que no eres suficiente?
No depende de lo que dice la gente;
el espejo no define quién eres».

(Fragmento de mi canción «No pares»)

¿Lo hice bien?

«Porque somos hechura de Dios, creados en Cristo Jesús para buenas obras, las cuales Dios dispuso de antemano a fin de que las pongamos en práctica».

(Efesios 2:10)

¿Has oído hablar del «síndrome del impostor» o «síndrome de fraude»? Es un trastorno psicológico en el que a las personas les cuesta asimilar sus logros. El término, acuñado en 1978, por las psicólogas Dra. Pauline R. Clance y Dra. Suzanne A. Imes, se refiere al miedo a exponerse ante la gente y quedar como un farsante. Es un sentimiento que te hace creer que eres inadecuado para una tarea, aunque la estés haciendo bien. Los expertos afirman que siete de cada diez personas lo padecen[1]. Y yo era una de esas siete.

Es interesante que haya personas en el mundo víctimas de estos pensamientos. En lo personal, después de una entrevista o un concierto, solía preguntarme: *«¿lo hice bien?» «¿Canté bien?» «¿Hablé bien?»* Esto no era porque quería recibir una crítica constructiva para mejorar; yo pensaba que era un «fraude» y quería despejar ese miedo con palabras de aceptación y validación. Estos pensamientos, o este síndrome, me llevaban a pensar de mi vida lo opuesto a la verdad, a lo que soy y valgo según la Palabra de Dios.

① Romero, S. (2016). *¿Qué es el síndrome del impostor?*. Muy Interesante. https://www.muyinteresante.es /salud/preguntas-respuestas/que-es-el-sindrome-del-impostor-481477651136

¿Cuándo fue la última vez que te sentiste inadecuada? Hubo alguien en la Biblia que se sintió así: Elías, un gran hombre de Dios que había hecho maravillas y matado a los falsos profetas de Baal. Después de todos sus logros se escondió en cuanto Jezabel mandó a decirle que lo iba a matar, como él había hecho con los servidores de Baal. Elías anduvo un día de camino por el desierto y estaba tan triste que quería morirse. Le decía a Dios:
«¡Dios, ya no aguanto más! Quítame la vida, pues no soy mejor que mis antepasados»
(1 Reyes 19:4, TLA);

¿Cómo es posible que este gran hombre, «instrumento en las manos de Dios» (que es el significado de su nombre), se encontrara escondido en una cueva? Elías estaba enfrentando pensamientos de fracaso.

¿Hace cuánto estás escondida detrás de tus pensamientos? ¿Por qué te rehúsas a cumplir el llamado de Dios en tu vida? ¿Cuál ha sido tu cueva? Dios nos creó para ser vencedoras, para que nos levantemos por encima de los desafíos que se nos presenten. Dios nos llamó para ser portadoras de vida.

En la escena citada anteriormente, un ángel se le aparece a Elías, y le prepara comida. Esto me hace entender que Dios no solamente conoce dónde nos escondemos sino también lo que nos hace falta. Por esta razón, mis palabras tienen como propósito infundir ánimo para que te mantengas firme donde Dios te ha colocado, y que seas fiel a la misión que te ha sido asignada. Cada vez que lleguen a tu vida pensamientos de insatisfacción, recuerda que somos hechura de Dios, creadas para buenas obras. Hoy te invito a tomar el lente de Dios y a verte desde su perspectiva.

¿Cuál es la cueva en la que te has refugiado?

¿Qué no te has atrevido a hacer
por temor a ser expuesta como «fraude»?

¿Cómo te ve Dios?

«Lo creado en el cielo es perfecto».

(Fragmento de mi canción «No pares»)

El Arte de ser vulnerables

«Quien en ti pone su esperanza jamás será avergonzado; pero quedarán en vergüenza los que traicionan sin razón»

(Salmos 25:3)

Mi bebé tenía aproximadamente un año y mientras lo cuidaba, yo debía ser madre y esposa, trabajar en el ministerio y ser ama de casa. Llegó un momento en el que estaba a punto de colapsar. El tiempo no me alcanzaba para nada, mi casa estaba desarreglada, pasaba todo el día en pijamas, tenía platos sin lavar. Esto afectaba mi ánimo porque mi hogar era diferente a lo que me había imaginado como una familia perfecta, todo lo opuesto a una imagen de *Pinterest*. Esto, por lo general, me llevaba a reaccionar de una manera negativa hacia mi esposo, quien gracias a Dios me tuvo mucha paciencia y amor.

Un día llegó una amiga a visitarme por sorpresa y casi me desmayo; que fuera una amiga lo hacía peor, porque me preocupaba su opinión sobre mí. Yo, la que en redes sociales siempre parecía tener todo bajo control, una mamá ejemplar, maquillada y bien vestida, vivía una realidad totalmente diferente: no tenía nada controlado, cambiaba pañales todo el día y la rutina me estaba volviendo loca. ¿Has estado en una situación similar alguna vez?

Lo primero que hice cuando esta amiga entró a mi casa y vio la sala con todos los juguetes del bebé tirados y ropa sin doblar, fue decirle: «*Perdona que todo esté así. Te voy a enviar una foto para que veas cómo lo dejo después de un rato*». Esta frase era un patrón repetitivo en mi vida. «Perdón por no estar arreglada». «Perdón por no hacer bien esto; te prometo que practico y me saldrá mejor». «Perdón, perdón, ¡PERDÓN!»

Me había olvidado de que hay belleza cuando uno es vulnerable y lo mejor de todo, es que tenemos permiso de Dios para serlo. A veces olvidamos que aquello que nos ha permitido alcanzar nuestras metas y sueños no ha sido lo lindas que nos podamos ver o todas las capacidades que tenemos; ha sido el amor de Dios y su misericordia. La autora, investigadora y profesora estadounidense, Brené Brown, dice: «*La vulnerabilidad suena como verdad y se siente como valentía. La verdad y la valentía no siempre son cómodas, pero no son muestra de debilidad*»[2].

[2] Brown, B. (2010, junio). ***The power of vulnerability*** [Vídeo]. Conferencias TED. TedxHouston. https://www.ted.com/talks/brene_brown_the_power_of_vulnerability

Nos cuesta ser vulnerables por temor al rechazo o por temor a que no nos valoren o nos amen. Por eso guardamos todos nuestros secretos bajo llave. ¿Qué pensarían las personas si supieran que no somos la esposa excelente que imaginan? ¿Que no somos las mejores madres? ¿Que no somos expertas en el ministerio? ¿Que no oramos o leemos la Biblia tanto como ellas creen?

Si te pones a pensar, todas carecemos de algo; por eso, Jesús vino a morir por nosotras. Quiero que recuerdes que nuestro héroe ya vino al rescate. Por otro lado, nuestras faltas no nos alejan de Dios; nos acercan más a Él si llevamos nuestra vulnerabilidad a sus pies. Él está cerca del humilde de corazón, y cuando somos débiles, entonces somos realmente fuertes.

«Pero él me dijo: "Te basta con mi gracia, pues mi poder se perfecciona en la debilidad". Por lo tanto, gustosamente haré más bien alarde de mis debilidades, para que permanezca sobre mí el poder de Cristo. Por eso me regocijo en debilidades, insultos, privaciones, persecuciones y dificultades que sufro por Cristo; porque, cuando soy débil, entonces soy fuerte» (2 Corintios 12:9,10).

Es tiempo de que abracemos quienes somos, permitamos que Dios sane nuestras heridas y nos pueda dar ese amor que cubre multitud de faltas. Cuando Dios nos renueva, Él nos mira a través de Cristo, sin faltas, sin manchas, sin importar nuestro pasado. ¡Guau! Qué increíble manera de amarnos.

La vulnerabilidad y la culpabilidad no significan lo mismo, porque la culpa no hace más que recordarnos nuestros peores tiempos; pero llevar nuestra vulnerabilidad a Dios hace que Él trabaje en nosotras sacando belleza de nuestra debilidad, convirtiéndola en fortaleza. Jesús fue vulnerable para tener empatía con nosotros. Si alguien entiende lo que es perder a un ser querido es Jesús, porque perdió a su amigo Lázaro; Él comprende lo que es sentirse abandonado, porque lo vivió cuando estaba en la cruz; sabe lo que significa ser traicionado, porque Judas lo hizo con Él. Desde ahora, no consideres la vulnerabilidad como tu enemiga; hazla tu mejor aliada para acercarte a Dios, para que así Él exhiba delante de todos su poder en ti.

Preguntas de reflexión:

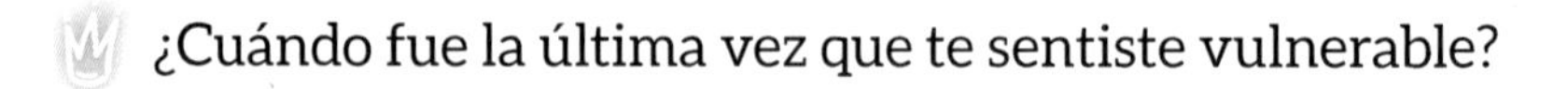

¿Cuándo fue la última vez que te sentiste vulnerable?

¿Has sentido temor en exponer
tus sentimientos y quien eres realmente?

¿Cuándo fue la última vez
que le contaste a Dios cómo te sentías?

«Deja de llorar, vuelve a sonreír;
***una nueva canción es puesta en ti*».**

(Fragmento de mi canción **«No pares»**)

No hay en ti defecto alguno

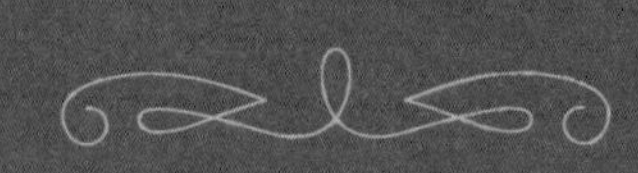

«Ahora puedo sonreír,
mi historia
está completa en ti»
- Anna Ly,
"Fuerte"

¿Alguna vez te han dicho que no? Un día, mientras me bañaba, miré la marca de mi champú y recordé el día en que apliqué para un puesto de trabajo en esa compañía internacional. De hecho, tuve una buena entrevista y dijeron que me llamarían, pero no lo hicieron.

Mi vida ha tenido muchos «no, no y no». ¿Cómo ha sido la tuya? A veces no cumplimos con las normas de la sociedad, de un puesto de trabajo, del chico que nos gusta, de la iglesia a la que asistimos... cosa que puede ser muy agobiante, porque nos lleva a concentrarnos en nuestros errores y opacar el gran «SÍ» del cielo que ya tenemos, no porque lo merezcamos sino por puro amor y gracia.

«No hay en ti defecto alguno». Al escribir esto me dan ganas de llorar, y es que el sacrificio de Jesús en la cruz no solo dio paso a nuestra justificación, sino también a la adopción; lo cual debería ser el mayor estímulo para buscar de Dios, nuestro gran refugio y motivo de alabanza. La justificación y adopción nos permiten tener libre entrada al Padre, no están basadas en calificaciones ni habilidades, sino simplemente en el alto precio que Jesús pagó por nosotras.

Me encanta una frase que una vez leí en una descripción de Instagram: *«No estoy en venta, fui comprada por la sangre de Cristo»*. No solo suena bonita, sino que es la verdad; por esa razón no debemos depender de las críticas o los elogios de los demás.
Dios, como el mejor reparador de autoestima, sabía que en un mundo tan quebrado necesitaríamos este recordatorio para mantenernos firmes y poder llevar una vida libre de temores.

Hace algunos años vi a una mujer arrastrándose por la calle haciendo «penitencia»; era una forma de castigarse, de pagar por errores y pecados, y así obtener el perdón. Ella iba camino a una iglesia. Un pastor que estaba en mi grupo de viaje, al ver esta situación, me dijo: *«Anda y ora por ella»*. Me quedé paralizada de temor porque ese día yo no había orado; me sentía «impura» y pensé que Dios no me respaldaría. ¡Yo estaba equivocada!

Cuando la mujer entró a la iglesia arrastrándose, la perseguí. De un momento a otro Dios me dio las fuerzas necesarias, me paré junto a ella y empecé a decirle: *«No necesitas pagar este precio, Jesús ya lo pagó por ti»*. Al repetir esa frase, sentí mayor autoridad en mí. De repente, un hombre vino corriendo en medio de la congregación y gritó: *«Ayúdame, lucho con la masturbación»*. De un momento a otro, la misa fue interrumpida por estas personas que empezaban a pedir ayuda y buscaban ser libres en Dios. Casi pierdo esa gran oportunidad de hablar de nuestro Dios, por olvidar que Él me ve sin defecto alguno.

En aquel escenario había dos mujeres que pensaban que su relación con Dios dependía de sus méritos: la mujer que se arrastraba, y yo, que creí que Él no estaría conmigo por no haber orado ese día. Debemos recordar que Dios nos ve a través de Jesús, que se despojó a sí mismo para que seamos salvas. Así que, no permitas que las mentiras de derrota o pensamientos de culpabilidad sean un impedimento para buscar diariamente a Dios. Demos GRACIAS porque no tenemos que arrastrarnos para recibir su perdón. Solamente necesitamos acercarnos a Dios y Él se acercará a nosotras.

¿Has recibido algún «no» como respuesta?

¿En qué no te has sentido apta delante de Dios?

¿Qué te ha recordado Dios hoy?

«Ahora puedo sonreír,
mi historia está completa en ti».

(Fragmento de mi canción **«Fuerte»**)

Deseada por el rey

«El rey está cautivado por tu hermosura; él es tu Señor: inclínate ante él».

(Salmos 45:11)

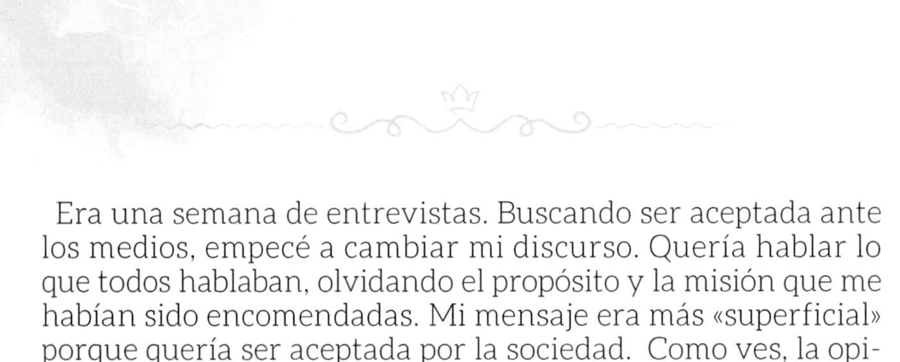

Era una semana de entrevistas. Buscando ser aceptada ante los medios, empecé a cambiar mi discurso. Quería hablar lo que todos hablaban, olvidando el propósito y la misión que me habían sido encomendadas. Mi mensaje era más «superficial» porque quería ser aceptada por la sociedad. Como ves, la opinión pública era importante para mí.

> El mundo te juzga por tu apariencia, por lo que crees, y por tu forma de hablar. Si nos parecemos a ellos y pensamos como ellos será más fácil formar parte de su círculo. Sin embargo, cuando nuestro discurso se basa en lo que dice la sociedad, fácilmente nos dejamos manejar y cuestionar, y podríamos llegar a perder la esencia que Dios puso en nosotras.

Vivimos en tiempos tan difíciles que el mundo no necesita personas con talento (creo que ya lo ha visto todo); no necesita el mejor cabello, la piel más suave, la mejor voz, la mejor profesional. El mundo pide desesperadamente conocer personas llenas de la presencia de Dios, personas a quienes a lo lejos se les reconozca por esta característica.

Pude comprobarlo en una entrevista. Antes de ir a mi cita, decidí buscar a Dios y le pedí que en ese lugar se sintiera que Él estaba allí, aún sin que yo dijera nada. Cuando entré a esa prestigiosa emisora no cristiana, el conductor empezó la entrevista diciendo: «*Aquí se siente algo extraño, como una energía... no sé cómo describirlo. Aquí se siente la presencia de Dios*». *¡Guau! Lo primero que dijo no fue: «Aquí con la talentosa...» sino: «La presencia de Dios»*. No fueron mis horas frente al espejo, mi vestimenta, mis palabras ni mis canciones lo que llamó la atención; fue la presencia de Dios que iba conmigo como Poderoso Gigante. No fue necesario decir nada para que Dios hiciera sentir su presencia.

Increíble, ¿verdad? Ahora quiero que hagas un alto y cierres los ojos. Dale gracias a Dios por su presencia que está disponible para ti las 24 horas del día. Dios quiere que seas llena de Él, en vez de llenar tus vacíos o satisfacer tus ansiedades con compras por internet, maquillaje o una serie de Netflix. Y no es que eso sea malo; pero todo depende de cómo organices tus prioridades y cuál es tu enfoque. El Señor te quiere a ti; quiere llenarte, quiere revelarse, quiere una cita contigo. Dios quiere un auditorio donde Él sea la audiencia y tú estés dispuesta a darle tu mejor concierto, sin cámaras, sin apariencias, sino solamente porque Él es tu amado, tu Rey.

Su presencia te hace bella, te hace cantar, te muestra quién realmente eres; su presencia te favorece, hace que todo tenga sentido. La presencia de Dios no estará contigo por las veces que sirvas en la iglesia, por las clases de zoom a las que asistas, sino por la búsqueda sincera de Dios, la lectura de su Palabra, la comunión con Él en oración; no hay atajo. ¡Qué hermoso es saber que somos deseadas por el más grande Rey, por nuestro Señor!

Preguntas de reflexión:

¿Quisieras mejorar tu relación con Dios?

¿A qué le has dedicado más tiempo en estos días?

¿Recuerdas algún momento en que sentiste la presencia de Dios?

«Por ti pagaron un alto precio».

(Fragmento de mi canción «**No pares**»)

Carrera Contra el tiempo

«Puedo mover montañas,
ver milagros, si puedo creer en ti»
- Anna Ly,
"Yo creo en ti"

Según la Real Academia Española, «tiempo» es la magnitud física que permite ordenar la secuencia de los sucesos[3]. En griego, «tiempo» se conoce como *«cronos»* y *«kairos»*.

Al mencionar *«cronos»* nos referimos a los días, las horas y los segundos que administramos de diferente manera según nuestras prioridades. Para el mundo, nuestro éxito radica en los triunfos o fracasos que tengamos en estos sucesos. Por ejemplo: habernos graduado a cierta edad, trabajar en algo diferente a lo que nos apasiona, casarnos después de los treinta, y otros. Si te sales del parámetro establecido por la sociedad, automáticamente estás fuera. Somos parte de una carrera en la que todos queremos llevar la delantera, una carrera contra el tiempo, sin importar las consecuencias; todo para evitar comentarios que nos hagan sentir frustradas, que nos roben la paz, y que atenten contra nuestra autoestima.

En cambio, cuando mencionamos la palabra *«kairos»*, hacemos referencia al tiempo oportuno, el momento señalado en el propósito de Dios. Este mundo rige su día por el tiempo natural, pero como hijas de Dios debemos de empezar a andar en su *«kairos»*, y no conforme al reloj de la sociedad. Rendir nuestra vida y nuestros proyectos a los pies del Maestro hace que nada se salga del plan; quizá del nuestro, pero no del suyo. Así que, ánimo y paciencia.

Viene a mi mente la historia de Jesús y Lázaro. Jesús recibió la noticia de que Lázaro, su amigo, había fallecido. Fue para Betania, pero llegó cuatro días después de su muerte. Me impresiona que María (la misma que había derramado su vaso de alabastro a los pies del Maestro), fue quien reclamó a Jesús el no haber estado presente: *«Si hubieses estado aquí, mi hermano no hubiera muerto»*[4]. Jesús se conmueve ante su falta de fe.

③ Real Academia Española. (s.f.). Tiempo. En Diccionario de la lengua española. Recuperado el 16 de noviembre de 2021, de https://dle.rae.es/tiempo

④ Juan 11:21

Definitivamente, María no estaba descansando en el «*kairos*» de Dios. Su necesidad, su pérdida y sus heridas no le permitían ver más allá. Muchas veces, hemos estado como ella. Somos mujeres que amamos a Dios, que creemos en Él; pero cuando algo sucede, nuestra fe tambalea. Cuando alguien nos dice algo negativo, se derrumba nuestra identidad, y es fácil olvidar quién está en control de nuestra vida.

¿Qué no te permite ver más allá? Una de mis canciones dice: «*Si tú has sido testigo de todo lo que Él ha hecho, ¿por qué dudas, si Él tiene todo el poder?*» La duda nos aparta de Dios. Descansar en nuestros tiempos nos puede llevar a frustración, incertidumbre y depresión; pero descansar en sus promesas nos hace estar con la frente en alto.

Cuando mi bebé estaba a punto de cumplir su primer año y teníamos todos los preparativos listos para su primera fiesta, empezó la cuarentena provocada por la pandemia. Tenía todo planificado y las invitaciones preparadas; pero de un momento a otro, el evento se tuvo que cancelar y no pude celebrarlo como quería. Soy una persona que si algo no sale como quiero, cambia mi estado de ánimo; pero en esa ocasión, en vez de frustrarme, descansé en el «*kairos*» de Dios. Y Él, que conoce nuestro corazón, no olvidó mis anhelos.

Un año después de ese suceso, poco antes de escribir estas líneas, recibí una llamada telefónica en la que me informaban que había ganado un concurso para celebrar el cumpleaños de mi bebé, con todo incluido. La celebración de mi pequeño tuvo mucho más de lo que había anhelado. Parece ser algo simple; pero en esto veo al Dios de detalles, ese Dios que quiere ser partícipe de cada aspecto y suceso de nuestra vida.

No te apoyes en tu propia prudencia; descansa en sus tiempos y tu autoestima te lo agradecerá.

Preguntas de reflexión:

¿Has sentido alguna vez
que estás en una carrera contra el tiempo?

¿Has invitado a Dios a tomar control de tu vida?

¿En qué área reconoces
que necesitas descansar en el *«kairos»* de Dios?

*«Puedo mover montañas,
ver milagros, si puedo creer en ti».*

(Fragmento de mi canción «Yo creo en ti»)

Piensa lo bueno

«Por último, hermanos, consideren bien todo lo verdadero, todo lo respetable, todo lo justo, todo lo puro, todo lo amable, todo lo digno de admiración, en fin, todo lo que sea excelente o merezca elogio».

(Filipenses 4:8)

Alguien me dijo una vez que no somos moneda de oro para caerle bien a todo el mundo. Y es verdad. En nuestro andar nos vamos a encontrar con personas a quienes les chocará nuestra personalidad, nuestras palabras, nuestra forma de ser, o nuestra vestimenta. Pero debemos estar listos para cualquier clase de comentario que atente nuestra autoestima.

Mi esposo, Anuar, me dice: «*siempre piensa lo bueno*». Eso me cuesta, tengo que admitirlo. Por haber luchado en mi niñez con baja autoestima, ahora lucho constantemente con pensamientos de inferioridad, haciendo comparaciones. Es como si alguien siempre estuviera pensando en contra de mí, lo cual no es verdad. Perdemos momentos preciosos y dejamos de invertir nuestro tiempo en cosas positivas por darle cabida a los malos pensamientos.

Hace poco viajaba para una conferencia de jóvenes, acompañada de mi esposo y mi hijo. Durante el viaje en avión, mi pequeño Elías estuvo bastante activo. Estaba incómodo porque le estaban saliendo los dientes, lo cual le producía mucho dolor; no dejaba de gritar y estaba demasiado inquieto. No habíamos pagado un asiento para él, así que lo teníamos en brazos. La chica que iba sentada en la fila siguiente me miraba constantemente y en varias ocasiones nuestras miradas se encontraron.

Yo me imaginé lo que ella estaría pensando: *«esta madre irresponsable que no ha enseñado a su hijo a hacer silencio», «este niño malcriado», «hay que enseñarle a ser mejor mamá»*. Es increíble cómo en un minuto podemos dar rienda suelta a los pensamientos y crear una historia mejor que Hollywood.

De repente, veo que el tripulante de cabina se acerca, y ella le enseña el protector de su pantalla que decía «SOY SORDA», luego empieza a escribir lo que necesita para ser atendida. En ese momento recibí una de las mayores lecciones de mi vida. Quizás esta joven me miraba porque anhelaba tener una familia, o si la tenía, anhelaba escuchar las primeras palabras de su bebé.

La Biblia nos dice que siempre debemos pensar en lo bueno; de esta forma, evitaremos muchos problemas, que quizás solo están en nuestra mente. La baja autoestima nos hace pensar y juzgar antes de tiempo, y siempre tiende a hacernos sentir mal.

Decide hacerte un bien siempre pensando lo bueno, aun cuando no sea así, y verás que vas a actuar diferente; no serás dura contigo ni con las personas a tu alrededor. Definitivamente, estos pensamientos cambian nuestro estado de ánimo. Recuerda que el enemigo quiere robarte la paz.

Pídele a Dios que esa paz que sobrepasa todo entendimiento inunde tu vida. ¡Decide pensar lo bueno!

¿Juzgas a las personas antes de tiempo?

¿Qué cambia en tu vida saber
lo que piensan los demás de ti?

¿Cómo verás a las personas de hoy en adelante?

*«Me levantaré, nunca pararé
Barreras frente a mí yo las tumbaré».*

(Fragmento de mi canción «No pares»)

DÍA 8

Eres honorable

«[...] Porque te amo y eres ante mis ojos precioso y digno de honra».

(Isaías 43:4)

Debido a una gran hambruna, cierta familia decide dejar su país; se trata de una familia judía que sale de Belén, que significa «casa de pan», a una tierra llamada Moab. Su destino era un lugar de incertidumbre, que nació cuando las hijas de Lot embriagaron a su padre y tuvieron relaciones íntimas con él, en busca de descendencia[5].

La familia estaba compuesta por Elimelec, esposo de Noemí; quienes tenían dos hijos casados con mujeres moabitas: Rut y Orfa. Los tres hombres de esta familia murieron, dejando viudas a las tres mujeres. Imagina este escenario: Noemí, una anciana judía está a punto de quedar desamparada en una tierra extraña, abandonada por sus jóvenes nueras, que también perdieron a sus esposos.

Al ver esta situación, Noemí insiste que sus nueras vuelvan con sus parientes y formen nuevas familias; pero Rut decide quedarse con ella, y le dice: *«[...] ¡No insistas en que te abandone o en que me separe de ti! Porque iré adonde tú vayas, y viviré donde tú vivas. Tu pueblo será mi pueblo, y tu Dios será mi Dios. Moriré donde tú mueras, y allí seré sepultada. ¡Que me castigue el Señor con toda severidad si me separa de ti algo que no sea la muerte!»* (Rut 1:16-17)

Vemos a una Rut determinada, con una gran demostración de lealtad y compromiso, a quien no le importó renunciar a su pueblo, su tradición y su pasado. Fue así como ambas se dirigieron a Judá, y Rut decide confiar en el Dios de Noemí. En ese lugar, Noemí tenía un pariente cercano llamado Booz. La

(5) Génesis 19:30-38

Biblia menciona que era rico e influyente, y que era dueño de un campo donde Rut fue a recoger espigas. Al verla de lejos, Booz pregunta acerca de ella; la honorabilidad y lealtad de Rut fue su mejor carta de presentación. Booz le dice que le habían contado todo lo que ella había hecho por su suegra, que dejó a sus padres y su tierra y que vino a un pueblo totalmente nuevo, así que la invitó a que siga trabajando en su campo. Él se fijó en Rut; ella halló gracia delante de él, al punto de que se casó con ella.

Fue así como una mujer que no estaba predestinada para ser exitosa, se convierte en esposa de Booz, bisabuela del rey David, y parte del árbol genealógico de Jesús. Esta es otra prueba de que Dios mira el corazón y de que la belleza va más allá de lo exterior. Un corazón que decide refugiarse en Dios, prospera.

Te invito a que dejes los errores que has cometido a los pies de Jesús. Al igual que Rut, olvida tu pasado y corre a los brazos de Dios. Termina con todo aquello que te ata a tristes recuerdos y decide empezar una nueva vida; aunque parezca un futuro incierto, si Dios va delante de ti siempre llegarás a un puerto seguro. Otros se fijarán en ti, hablarán de ti, honrarán lo que hagas; pero la bendición llegará cuando, al igual que Rut, renuncies a tus propios beneficios con el fin de ser fiel al llamado de Dios y a su Palabra. No importa lo que diga la sociedad, para el Señor eres honorable y Él te ama.

Preguntas de reflexión:

¿A qué o quién le eres leal en tu vida?

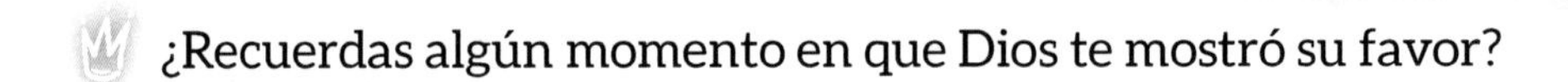

¿Recuerdas algún momento en que Dios te mostró su favor?

¿Dónde sientes que Dios te está llamando?

«Mira como son las cosas, cuando menos piensas se aparece Dios».

(Fragmento de mi canción **«No pares»**)

Tu mejor Versión

«Es más valiosa que las piedras preciosas: ¡ni lo más deseable se le puede comparar!»

(Proverbios 3:15)

Hay un término empresarial, conocido en inglés, llamado *«benchmarking»*; consiste en imitar a la competencia y superarla para lograr mayor ventaja en el mercado. Las empresas manejan sus marcas de esta forma, y por algún tiempo, intenté aplicar este concepto en mi vida, hasta darme cuenta de que no podía manejar mi identidad como un producto. Vivimos en un mundo donde siempre habrá un vacío que llenar, una exigencia por cumplir, una sociedad insaciable que desea tener todo lo que otros tienen. Por ejemplo, si tenemos el cabello lacio lo queremos rizado... Sinceramente, nunca estamos satisfechas. Está bien admirar y tener como referencia el talento o los logros de otros; pero no permitamos que esto nos lleve a la comparación, porque fácilmente podemos caer en la envidia.

Cuando era niña, si participaba en algunos concursos y perdía, mi papá me decía: *«Anna Ly, siempre habrá alguien que lo hará mejor»*. Por ello, he entendido que nuestra competencia debería ser con nosotras mismas, y nuestra meta principal, convertirnos en nuestra mejor versión. De eso se trata la carrera de la vida.

En primer lugar, es importante reconocer nuestras limitaciones y esforzarnos por superarlas. Seguidamente, debemos considerar todo lo que Dios nos ha dado y ser agradecidas por poseer algo que quizás otra persona está deseando tener. Nuestra mente está pronta para llenarse de quejas, lo cual impide que entremos por las puertas de Dios con acción de gracias.

La Biblia nos relata la historia de dos hermanos que eran muy diferentes, y la comparación provocó un final de muerte. Es la historia de los primeros dos hermanos: Caín y Abel. Caín, el hermano mayor, estaba enojado y cabizbajo, ya que Dios había visto con mayor agrado la ofrenda que Abel le trajo, porque escogió lo mejor de su rebaño. Dios le dice a Caín: *«[...] ¿Por qué estás tan enojado? ¿Por qué andas cabizbajo? Si hicieras lo bueno, podrías andar con la frente en alto. Pero, si haces lo malo, el pecado te acecha, como una fiera lista para atraparte. No obstante, tú puedes dominarlo».* (Génesis 4:6-7)

Hacer las cosas bien nos permite ganar un buen nombre. Para lograr una mejor versión, es importante creer en nosotras, pero debemos evitar tener toda nuestra confianza depositada en nuestras capacidades y talentos; la humildad es clave para esto. Filipenses 2:3 dice: *«No hagan nada por egoísmo o vanidad; más bien, con humildad consideren a los demás como superiores a ustedes mismos».* Esto no quiere decir que no debemos esforzarnos en tratar de dar lo mejor de nosotras, porque la diligencia y el esfuerzo siempre traerán resultados.

Un día, un pastor se sentó a mi lado en una convocatoria de ministros, donde yo era nueva, y me dijo: *«Hay una semilla que siempre dará fruto. ¿Sabes cuál es? La perseverancia».* Nuestra perseverancia hará que tengamos mayores resultados, como bien menciona Proverbios 3:4 (RVR1960), cuando habla de «hallar gracia y buena opinión ante los ojos de Dios y de los hombres». Sin embargo, no perdamos de vista que en esta carrera luchamos por una mejor versión para agradar a Dios, lo cual debe ser nuestra mayor recompensa y gloria. *«¿Qué busco con esto: ganarme la aprobación humana o la de Dios? ¿Piensan que procuro agradar a los demás? Si yo buscara agradar a otros, no sería siervo de Cristo»* (Gálatas 1:10).

La comparación no nos lleva a nada bueno; puede dañar ministerios, familias y sueños. Dale forma a aquello que Dios ya ha puesto en tus manos y recuerda que eres única y especial.

Preguntas de reflexión:

¿Buscas la aprobación de Dios
o vives pendiente de la opinión de la gente?

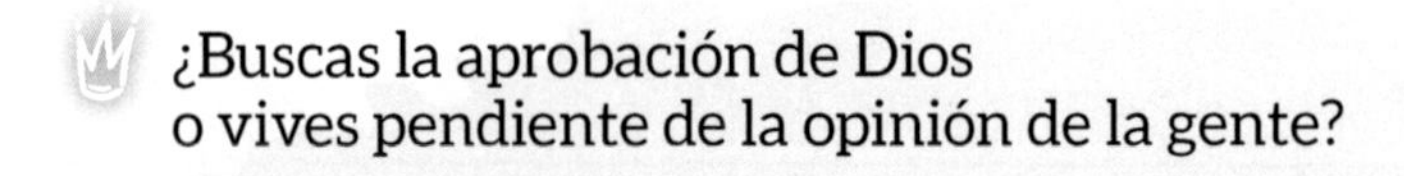

¿Te hace sentir mal reconocer
tus limitaciones o que otros te hablen de ellas?

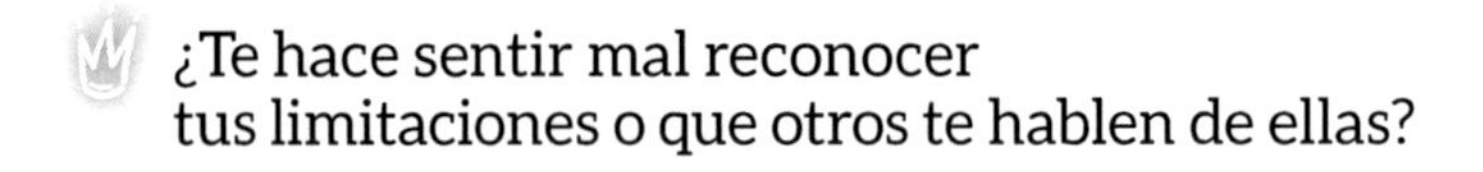

¿Qué harás para ser una mejor versión de ti misma?

*«Más valiosa que las piedras preciosas,
en tu amor hallé mi tesoro».*

(Fragmento de mi canción «No pares»)

Para esta hora

«[. . .] ¡Quién sabe si no has llegado al trono precisamente para un momento como este!»

(Ester 4:14)

Una de mis películas preferidas se titula *«Una noche con el Rey»*. La he visto tantas veces que he aprendido algunos de sus diálogos; está basada en la vida de la reina Ester. Esta historia es impresionante, porque la reina Ester, quien se llamaba Hadasa, no nació en una familia real. Sus comienzos fueron tristes; era huérfana, de origen judío, cuidada por su primo Mardoqueo. Como si eso fuera poco, fue llevada a la fuerza, junto con varias jóvenes vírgenes, para que el rey escogiera entre ellas a la nueva reina de Persia.

La Biblia menciona que Ester era una joven de bella figura y de hermosa apariencia. Sin embargo, esto no fue lo que llamó la atención de Hegai, que era el encargado de la preparación de las jóvenes para el gran día de encuentro con el rey. Ester había hallado gracia delante de él, que le concedió siete sirvientas y el lugar principal en la casa de las mujeres. ¿Qué era lo que llamaba la atención de Ester, más allá de su belleza? Que ella tenía cualidades que superaban su hermosa apariencia. Aún con su oscuro pasado, Dios tenía un plan para ella y la iba a utilizar para un tiempo como ese.

El rey Asuero escogió a Ester y la amó sobre todas las mujeres; ella halló benevolencia delante de él. Pero aquí no termina esta historia: una vez se convierte en reina, se entera del plan de Amán de acabar con el pueblo judío. Nadie conocía su origen, ya que por orden de Mardoqueo escondió su identidad y cambió su nombre, por todos los prejuicios en contra de su pueblo. Pero ella toma la decisión de abogar por su pueblo aunque esto pudiera significar su muerte. Es así como ella rompe el protocolo y, sin ser llamada, se presenta ante el rey, quien extendió su cetro y le perdonó la vida. Esta decisión no solo salvó su vida; sino también la de toda su gente.

Al igual que Ester, no nacimos en este tiempo por coincidencia o casualidad; somos parte de un plan divino. Tenemos lo que se necesita para ser luz y llevar la Palabra de salvación a todo el mundo. Tal vez nos sintamos como Ester en los comienzos, cuando estaba sola, abandonada, sin identidad o valor propio; pero Dios no se ha olvidado de nosotras. Él no se olvidó de Ester; más bien, todo obró a su favor y no la dejó hasta cumplir su propósito en ella.

¿Imagina qué habría pasado si Ester se hubiese comparado con el resto de las chicas? Probablemente, habría llorado por su pasado y se habría dejado atemorizar. Quizás estas hubiesen sido sus palabras: «*No, Dios, discúlpame; tuve un pasado horrible, tengo baja autoestima. ¿Me vas a usar a mí? ¿Estás seguro? Soy una mujer joven, busca a otra persona que tenga más experiencia*». Pero no, al contrario, Ester mostró valentía y audacia, e hizo lo que le había sido encomendado. No llores por tu pasado, vive tu presente, y arriésgate a ir por lo que Dios pone delante de ti.

En las carreras siempre dejan como último al más ágil del equipo, el más veloz; a este le pasan la posta para que llegue a la meta. No es el más grande ni el que tiene más experiencia, sino el que ha sido preparado para esta específica función. En estos tiempos difíciles nos ha sido entregada la posta de muchos hombres y mujeres, generales de Dios. Tómala y corre esta carrera con toda tu fuerza y agilidad, con la tenacidad y audacia de la reina Ester. El Rey ya te extendió su cetro.

Tengo una noticia para ti: **¡Has sido escogida! Levanta esa corona y cumple con el mandato de tu Rey.** Quién sabe si para esta hora has llegado.

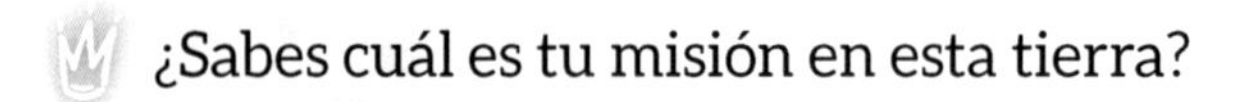

¿Sabes cuál es tu misión en esta tierra?

¿Qué significa para ti ser escogida?

¿Qué admiras de la historia de Ester
y cómo lo aplicarías en tu vida?

«Tu corona no fue puesta por cualquiera».

(Fragmento de mi canción **«No pares»**)

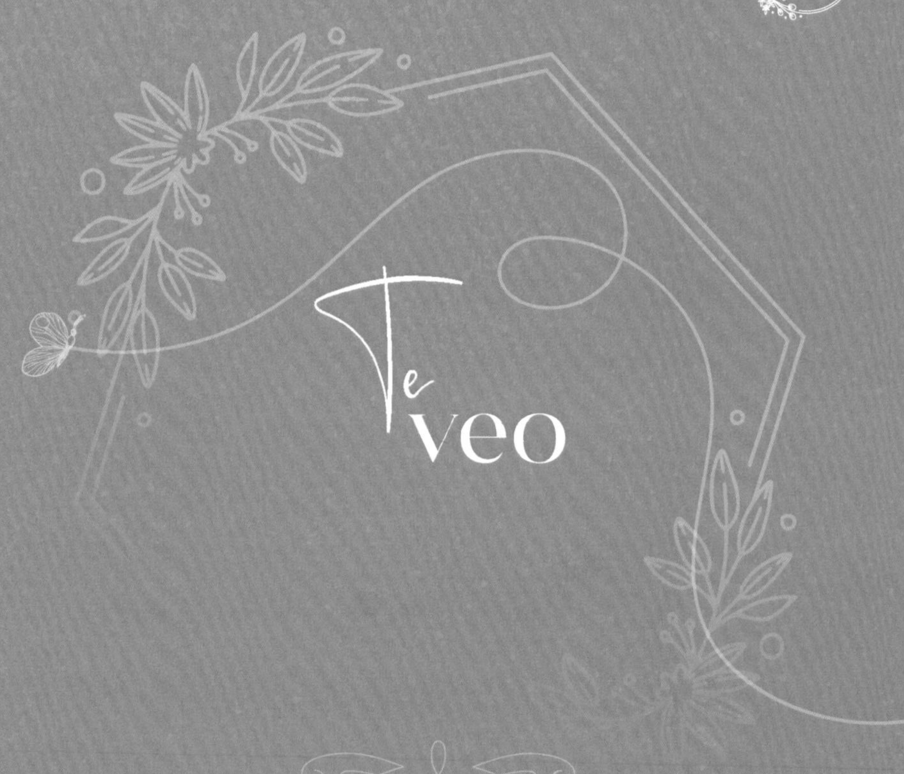

«Como el Señor le había hablado,
Agar le puso por nombre
"El Dios que me ve", pues se decía:
"Ahora he visto al que me ve"».

(Génesis 16:13)

El saludo más común en la tribu Zulú es *«Sawubona»*, que significa: *«te veo»*; es decir, eres visible para mí, te acepto con tus virtudes y defectos. En respuesta a esto las personas dicen *«Shiboka»*, que significa: *«estoy aquí»*. Como podrás ver, en este intercambio se encuentra un poderoso significado: «cuando me ves entonces existo»; «tu mirada me trae a existencia»; «tu mirada le da sentido a mi vida». Este saludo definitivamente va más allá de un simple: «Hola, ¿cómo estás?».

La película *Avatar* usa la expresión «te veo», en el marco de una historia de amor que hace referencia a ver más allá de la apariencia, a ver quién realmente eres, a valorar a alguien por su esencia. Dios sabía lo importante que es esto para nosotras que nos lo dejó como recordatorio en el libro de Génesis, en la historia de Agar.

Agar era una mujer egipcia, sirviente de Sara (entonces Saray), la cual concibió un hijo para Abraham: su primogénito, Ismael. Abraham llegó a ella porque Sara, su esposa, no podía concebir, y le pidió que tuviera relaciones con su sirvienta. *«Saray le dijo a Abram: "El Señor me ha hecho estéril. Por lo tanto, ve y acuéstate con mi esclava Agar. Tal vez por medio de ella podré tener hijos". Abram aceptó la propuesta que le hizo Saray»* (Génesis 16:2). Agar queda embarazada y a Sara le molestó la manera en que su sirvienta la veía después de este suceso. Entonces decide sacar de la casa a su esclava; y fue así como Agar, embarazada, huyó al desierto. No tenía quien la defendiera, estaba sola, sin alguien que la amara o recordara. Nadie sabía ni siquiera su nombre; es más, Abraham y Sara se refieren a ella como sirvienta. Ella no le importaba a nadie, solo a Dios. Él no solo la vio, sino que la llamó por su nombre.

En el desierto Agar tiene un encuentro con el Dios viviente. Fue en su peor momento, cuando nadie sabía de su paradero, donde ella le puso un nombre a Dios. Le llamó *«El Roí»*, que significa: *«El Dios que me ve»*.

¿Alguna vez te has sentido como Agar, no amada y abandonada? Quizá fuiste rechazada por tu esposo y estás rumbo al divorcio, tus familiares o amigos hablaron mal de ti, perdiste un puesto de trabajo y no has podido alcanzar tus sueños. Estás viviendo tu desierto. Recuerda que cada persona pelea con un gigante diferente; pero, al igual que Agar, tenemos al Dios que nos ve y tiene enumerados nuestros cabellos, que nos llama por nombre, que sabe nuestras debilidades, lo más íntimo de nuestros pensamientos. ¡Qué bello es Dios! Él no es indiferente a nada de lo que podamos estar viviendo, y quiere salir a nuestro encuentro.

Agar llamó a su hijo: Ismael, que significa: *«el Señor escuchó mi aflicción»*. Quiero que notes que no estamos hablando de una mujer con una posición importante o de un pueblo creyente, ella no calificaría dentro de nuestro estereotipo para tener un encuentro con Dios; pero sí, ella tuvo una cita exclusiva con Él. Puede ser que ahora mismo tengas muchas preocupaciones; pero no olvides que tienes al Dios que te ve, y está pendiente de tu levantar y tu acostar. *«Depositen en él toda ansiedad, porque él cuida de ustedes»* (1 Pedro 5:7).

Dios vio tu necesidad, hallaste gracia delante de Él. Tanto así, que envió a su único Hijo, Jesús, su primogénito, para que por su muerte seas perdonada de tus pecados y reconciliada con Él, porque quiere una relación personal contigo.

El mundo está acostumbrado a vernos y juzgarnos por las apariencias y se basa en lo externo, por nuestros logros, o por los seguidores en las redes sociales; pero mucho de esto es solo espejismo y está lejos de la realidad. La realidad es que la única mirada que debe importarnos es la de Dios, porque cuando Él nos ve nos da vida, nos da sentido, y fuera de Él nada somos. No estás sola, Dios no te dejará hasta cumplir su plan perfecto en tu vida; siempre te sustentará con la diestra de su justicia. No temas, Dios te ve.

¿En qué se asemeja tu vida a la de Agar?

¿Cuándo has sentido la mirada de Dios?

¿Qué has aprendido de esta historia?

«Saldrás a mi encuentro y sanarás la herida,
no quedará más rastro.
Tan solo el de tu amor».

(Fragmento de mi canción «**Fuerte**»)

Digno de alabanza

«Engañoso es el encanto
y pasajera la belleza;
la mujer que teme al ***Señor***
es digna de alabanza».

(Proverbios 31:30)

Labán tenía dos hijas: la mayor se llamaba Lea y la menor, Raquel. Labán era tío de Jacob. Jacob se enamoró profundamente de Raquel cuando la conoció, y estuvo dispuesto a hacer cualquier cosa para hacerla su esposa. Jacob y Labán hicieron un trato en el que Jacob aceptó trabajar siete años para Labán, a cambio de Raquel; pero Labán le hizo una mala jugada, porque en la noche de bodas le entregó a su primogénita, Lea, y no a Raquel como fue el acuerdo. Así empieza el triángulo amoroso en el que Lea es la primera víctima de rechazo. Primero, por su padre, que queriendo hacerle un bien con su actuación, le hace ver que si él no hace eso, ella no tendría posibilidad en el futuro de formar una familia o de que alguien se fijara en ella. Imagina que en tu propia familia te vean inferior, no crean en ti, y te comparen con otras personas.

La segunda herida para Lea fue darse cuenta de que no era amada y que era comparada con la belleza de su hermana Raquel. *«Y los ojos de Lea eran delicados, pero Raquel era de bella figura y de hermoso parecer»* (Génesis 29:17, RVR1960). La Biblia hace énfasis en esta característica especial de Lea y muchos estudios se refieren a ella como si tuviera una condición médica en sus ojos. Este versículo no fue puesto en vano; Dios nos quiere dar una gran lección en cuanto a la belleza. Si bien es cierto que fuimos creadas con diferentes tipologías y habilidades, color de piel y de ojos, nariz perfilada o nariz con curva, rellenitas o flacas; cada una somos diferentes, empezando por nuestra huella dactilar; pero de esto no depende en absoluto que se cumpla el plan de Dios en nuestra vida.

Imagina ser rechazada la noche de bodas y ver la cara de sorpresa de Jacob, quien era ahora su esposo, al descubrir la trampa de su padre y quizá la burla de su hermana. Me imagino que todos en la familia se enteraron de lo que estaba pasando, seguramente la reputación de Lea estaba por el piso; ella era la noticia de última hora del periódico local. Lea debió tener muchas preguntas en su cabeza: *«Dios, ¿por qué no soy tan bonita como mi hermana?» «¿Por qué soy el hazmerreír?» «¿Por qué tengo este defecto en mis ojos?» «¿Por qué mi hermana sí y yo no?»* Dios escuchó su oración, y en medio de su aflicción le concedió tener hijos a diferencia de Raquel, que era estéril.

Finalmente, Jacob, una semana después de haberse quejado con Labán, recibe también a Raquel como esposa. Sin embargo, quiero que notes lo siguiente: la hermana «no tan agraciada» fue la que Dios usó para establecer las doce tribus de Israel, de la que nació Judá, que significa: *«en este tiempo alabaré al Señor»*. Lea claramente nos muestra, por medio de este nombre, dónde estaba su corazón y su confianza después de tener a Judá; en cambio, los nombres que les dio a sus primeros hijos muestran el deseo de ser visible para su esposo, su tristeza, su enfoque en su aflicción, el deseo de ser valorada y llamar su atención. Llamó Rubén a su primer hijo, *«porque Jehová ha mirado mi aflicción»;* a su segundo hijo llamó Simeón, *«por cuanto Jehová oyó que yo era menospreciada»;* su tercer hijo fue Leví, que significa: *«él une a los suyos»*, y es con su hijo Judá que ella decide cambiar su lamento en alabanza. Lea logra entender que es mejor tener la atención de Dios que la de los hombres.

No dependemos de nuestra belleza ni de nuestro talento para alcanzar el llamado que Dios nos ha dado. Por eso no debemos gloriarnos en lo que tenemos, sino en que Dios está a nuestro lado y que nuestro nombre está escrito en el Libro de la Vida. Muchas mujeres aparentemente lo tienen todo; han sido reinas o figuras públicas, pero han acabado con sus vidas porque no han podido llenar el vacío, no han logrado entender su valor en Dios ni el plan que tiene para ellas. La belleza exterior es efímera.

De esto se trata esta historia en la Biblia; una gran verdad que puede salvar nuestra autoestima. Nuestras luchas diarias son distintas. Raquel no podía tener hijos, y su apariencia física no la salvó de esto; más bien, provocó la rivalidad, competencia y envidia de su hermana. De diferentes maneras las mujeres tenemos que estar atentas a no darle rienda suelta al enemigo; esto hizo que Raquel deseara, quizá por rivalidad, tener descendencia para estar igual que Lea, sin saber que esto la llevaría a la muerte en su segundo parto.

Por el contrario, Dios honró a Lea e hizo que ella al final de sus días fuera enterrada junto a su esposo, en la tumba de los patriarcas, donde estaban sepultados Abraham y Sara, e Isaac y Rebeca[6]. Lea cumplió un plan divino más allá de sus expectativas; Dios hizo memoria de ella y la honró hasta el último día de su vida. Cuando te mires al espejo recuerda que eres más de lo que ves. No eres una apariencia; eres hija de Dios, creada para mayores cosas. No eres lo que te hace falta, eres a quien ya tienes en tu corazón. Transforma tu oración de necesidad o queja en alabanza y heredarás tus promesas.

(6) Génesis 49:31

 ¿Qué has aprendido de Raquel?

 ¿Qué has aprendido de Lea?

 ¿Cómo aplicarías esta historia en tu vida?

«Confía, no desesperes.
Entrégale al Señor tu camino
Descansa, Él te protege.
En sus manos está tu destino».

(Fragmento de mi canción «**Confía**»)

Las llaves de la felicidad

«Recompensa de la humildad
y del temor del Señor
son las riquezas,
la honra y la vida».

(Proverbios 22:4)

¿Has escuchado hablar del ego? El ego no es otra cosa que rendirle culto al «yo»; es la valoración excesiva de uno mismo. Probablemente, al pensar en esta palabra te viene alguien a la mente, quizás alguna persona que conoces que cree siempre tener la razón. Por lo general, este tipo de personas se enojan con el triunfo de otros, les gusta ser halagadas y son tan susceptibles, que un comentario o crítica puede dañar fácilmente su día y su estado de ánimo. El ego hace que siempre anhelemos tener más y no estemos satisfechas y agradecidas con nuestro presente.

Saúl fue el primer rey de Israel, el ungido de Dios, designado para llevar a cabo este honorable cargo. Todo apuntaba a que él dejaría una gran huella en la historia; pero la lucha con el ego fue el inicio de su caída. *«Disgustado por lo que decían, Saúl se enfureció y protestó: "A David le dan crédito por diez miles, pero a mí por miles. ¡Lo único que falta es que le den el reino!" Y a partir de esa ocasión, Saúl empezó a mirar a David con recelo».* *(1 Samuel 18:8,9)*

En esta historia podemos notar que el rey no soportaba que lo compararan con David, un humilde pastor de ovejas. Los comentarios del pueblo hicieron que Saúl olvidase que él era el que tenía el mayor cargo, y que tenía la aprobación de Dios. Desde entonces, David se convirtió en su competencia; Saúl quería todo para sí mismo, quería ser el centro de atención.

Nuestro valor e identidad pueden llegar a esfumarse el día que olvidemos lo que valemos para Dios y todas las bendiciones que hemos recibido solo por gracia. En el versículo siguiente se menciona que Saúl fue perturbado por un espíritu maligno. Hay consecuencias por permitir que pensamientos de inferioridad o de envidia hagan nido en nuestra cabeza, aunque tengamos un cargo de importancia, un gran ministerio y años de conocer al Señor. No en vano la Biblia pone como ejemplo a un rey, el primer rey de Israel. A pesar de que él tenía el máximo cargo, al darle rienda suelta a un pensamiento negativo se convirtió en presa fácil para el enemigo, quien ha venido para robar, matar y destruir.

Estamos expuestos todos los días a la comparación. Por ejemplo, cuando anhelamos la vida y los logros que otros muestran en sus redes sociales, cuando queremos tener una familia como la de aquel o este, cuando anhelamos sus viajes, sus casas, sus comidas, su aspecto; todo esto puede repercutir en nuestra autoestima y acabar con lo que Dios nos ha entregado, ya sea un ministerio, un trabajo, e incluso nuestra familia. .

Este es un tema de vida o muerte. La baja autoestima tiene daños colaterales. *«Saúl le dijo a su escudero: "Saca la espada y mátame, no sea que lo hagan esos incircuncisos cuando lleguen, y se diviertan a costa mía". Pero el escudero estaba tan asustado que no quiso hacerlo, de modo que Saúl mismo tomó su espada y se dejó caer sobre ella».* (1 Samuel 31:4).

Nuestra mirada debe estar puesta solo en Dios, porque si dependemos de los comentarios de las personas, vamos a fracasar. Y no solo me refiero a las críticas, sino también a los halagos. Nuestra identidad no puede estar basada en el que dirán.

Dios ha puesto mucho valor en nosotras, nos ha entregado tesoros; pero muchas veces nos desenfocamos y nos dejamos llevar por la corriente. No olvides quién te puso tu corona, mantenla con humildad porque podría ser dada a otra; recuerda que el que es fiel en lo poco, Dios lo pone sobre mucho. Si uno se contenta por los logros de otros y empieza a caminar en humildad y el temor de Dios, entonces encontrará las llaves de la felicidad. Saúl lo tenía todo, ¿qué más podía pedir? Pero esto no le fue suficiente, sino que su ambición y su ego acabaron con su vida. Al final, Saúl se suicidó.

Esto es un problema espiritual, por lo cual, debe ser contrarrestado con acciones espirituales. La presencia de Dios, el temor a Jehová, y la humildad nos harán poseer la vida; pero la falta de estas características nos hará acabar con ella. David conocía estas herramientas, por eso triunfó; la adoración lo acompañaba en su diario vivir, y la presencia de Dios era su refugio, a tal punto que cuando tocó el arpa para Saúl, el espíritu que atormentaba al rey, huyó. Ser un adorador denota la humildad del corazón, porque la adoración no es otra cosa que reconocer que alguien está sobre nosotros, a diferencia del ego.

Tuve la oportunidad de conversar con la reconocida actriz colombiana, Ana María Estupiñan, quien ha participado en varias series nacionales e internacionales y que además protagonizó nuestro video musical «No pares». Un día le pregunté en qué estaba basada su identidad y me respondió que en Jesús; me dijo que cada vez que tiene un nuevo proyecto de grabación se detiene para recordar quién es en Él. Ahora quiero invitarte que así como ella y David, vivamos una vida definida por Dios; busquemos las llaves de la felicidad en la humildad y el temor a Jehová, los cuales nos llevarán a encontrar esa belleza interna que tanto anhelamos tener.

¿Te consideras una persona egocéntrica?

¿Hay días en que quisieras tener lo que otros tienen (belleza, dinero, poder, viajes)?

¿Cómo aplicarías estas dos llaves de la felicidad en tu vida?

«Es tiempo de mirar arriba,
nunca se te olvide lo que Él prometió».

(Fragmento de mi canción «No pares»)

No es en tus fuerzas

*«Si tú estás conmigo,
no hay porque temer»
- Anna Ly,*

"Si tú vas conmigo"

Recuerdo que de niña era muy soñadora; no había montaña que no pudiera escalar con mi imaginación. Era muy feliz, solo necesitaba un poquito de fe para pasarla bien; pero a medida que fui creciendo y obteniendo más responsabilidades, me di cuenta de que las cosas no eran fáciles como yo creía, que no siempre tendría un sí como respuesta. Más de una vez me acosté con lágrimas en mis mejillas al sentirme frustrada por no ver un resultado inmediato a las metas que tenía. ¿Qué quedó de aquella niña feliz y soñadora? ¿Acaso Dios solo pertenecía a mi infancia y a las historias de la escuela dominical?

Le puse muchos obstáculos a mis sueños y a medida que pasaban los años, añadí un «pero» a todo; *«pero es que no puedo»; «pero es que no tengo lo que se necesita»; «pero es que...»*. En ese momento, pude sentir lo que sentía Moisés, ese Moisés que tú y yo conocemos, el que Dios usó para liberar a su pueblo, aquel que abrió el mar Rojo e hizo grandes prodigios. Porque para él al principio no fue fácil, ya que tenía una dificultad: era tardo en el habla y torpe de lengua. Por ese motivo, no se sentía calificado para esta misión. «Pero Moisés le dijo a Dios:—¿Y quién soy yo para presentarme ante el faraón y sacar de Egipto a los israelitas?» (Éxodo 3:11).

Muchas veces nos hemos hecho esta pregunta: «¿quién soy yo?» ¿Acaso es con tus fuerzas, Moisés? Humanamente, Moisés no tenía lo que se necesitaba. Seguramente había otros más aptos; pero Dios lo había escogido a él para que hiciera conocer el plan divino al Faraón y liberara a su pueblo. «*—Yo soy el que soy —respondió Dios a Moisés—. Y esto es lo que tienes que decirles a los israelitas: "Yo soy me ha enviado a ustedes"*» (Éxodo 3:14). El nombre «YO SOY» habla del carácter eterno, auto existente y Todopoderoso de Dios; esto quiere decir que podemos descansar en Él. No importa las barreras que existan, Dios está con nosotras y no nos dejará hasta completar la obra que ha empezado. Él es suficiente y su poder se perfecciona en nuestra debilidad. Cuando nos preguntemos: «¿quién soy yo?», recordemos que Dios es «Yo Soy»; por lo tanto, no necesitamos nada más.

Debemos persistir, permanecer, y seguir luchando por lo que Dios nos ha asignado, pese a nuestra capacidad, que muchas veces es limitada, igual que la de Moisés. Nuestra historia sería aburrida sin este tipo de situaciones; si tuviéramos todo resuelto no necesitáramos de la intervención divina. Más bien, esto nos recuerda que dependemos de Él. Si Dios te lo mostró en visión, lo hará; si Dios te lo reveló en su Palabra, lo hará. No dudes, no te canses, aunque hayan pasado los años y te sientas abrumada viendo lejana su promesa; no desistas, sigue insistiendo, sigue buscando, sigue tocando la puerta, que llegará el día en que será abierta. De repente, llegará. «*Así que no pierdan la confianza, porque esta será grandemente recompensada. Ustedes necesitan perseverar para que, después de haber cumplido la voluntad de Dios, reciban lo que él ha prometido*» (Hebreos 10:35,36).

¿Cuáles son tus limitaciones?

Estas limitaciones, ¿han sido un obstáculo para cumplir el propósito de Dios en tu vida?

¿Cuál es la misión que Dios te ha designado?

«Si tú estás conmigo, no hay porque temer».

(Fragmento de mi canción **«Si tú vas conmigo»**)

Vístete de perdón

*«Todos fallamos mucho.
Si alguien nunca falla en lo que dice,
es una persona perfecta,
capaz también de controlar
todo su cuerpo».*

(Santiago 3:2)

Al hablar de nuestro valor personal, por lo general ponemos nuestra mirada principalmente en lo físico y olvidamos que somos seres tripartitos: alma, cuerpo y espíritu. Esto significa que nuestras emociones y nuestro espíritu también cumplen un rol importante en nuestra existencia; por eso, debemos cuidar de todos ellos. Sin embargo, la Biblia dice: *«Por sobre todas las cosas, cuida tu corazón, porque de él mana la vida».* (Proverbios 4:23). Me llama la atención este énfasis: *«sobre todas las cosas».*

Estas palabras nos dan a entender que el cuidado del corazón debería ser nuestra prioridad, porque allí se refugian diariamente nuestras emociones y nuestros sentimientos, los cuales están ligados a nuestra alma, que muchas veces permitimos ensuciar por falta de perdón. El siguiente versículo nos habla también del espíritu: *«Crea en mí, oh Dios, un corazón limpio, y renueva la firmeza de mi espíritu»* (Salmo 51:10). Como vemos en este pasaje, necesitamos reforzar nuestro espíritu. Esta firmeza solo puede venir del cielo, de estar conectados las 24 horas del día a su presencia, para poder resistir los días malos y ser capaces de vivir sin ataduras, conforme al corazón de Dios.

¿Te sientes deprimida y cansada? Quizá no sea un problema físico, sino que tu corazón está herido. Recuerdo que conocí a alguien con un cargo importante, una mujer de muy hermosa apariencia. Cada vez que entraba a la oficina era como si estuviera desfilando en una pasarela, siempre traía la mejor ropa y todas nos queríamos ver como ella. Pero apenas hablaba, su aspecto no guardaba relación con sus palabras; las personas le tenían miedo porque acostumbraba a gritarle a los empleados. Muchos la criticaban a sus espaldas, sin darse cuenta de que era una mujer con heridas, de las que no podían ser sanadas con su belleza.

Primero que todo, debemos estar conscientes de que todas tenemos heridas, con diferentes nombres. Pueden ser causadas por la manera en que fuimos tratadas en nuestra niñez, un corazón roto por la traición de nuestra mejor amiga o por las palabras de nuestro esposo; las diferentes lesiones nos llevan a actuar de manera negativa en casa, en el trabajo, con los amigos, en la iglesia, e incluso, en nuestro matrimonio.

Si partimos de la realidad de que todos fallamos, nos vamos a dar cuenta de que debemos estar dispuestos a perdonar todos los días. ¡¿Qué?! ¡¿Todos los días?! A mí me costó mucho porque desde pequeña se me exigió la perfección. No podía salir de casa desarreglada; crecí viendo el cuadro de una mamá que no descansaba, perfeccionista, y yo tenía que ser como ella. Pensaba que no me era permitido fallar; por lo tanto, tampoco los demás podían fallar. ¿Te has preguntado por qué es más fácil omitir nuestras faltas y amplificar las de los demás? ¡Qué gran verdad hay en este pasaje!: *«¿Cómo puedes decirle a tu hermano: "Hermano, déjame sacarte la astilla del ojo", cuando tú mismo no te das cuenta de la viga en el tuyo? ¡Hipócrita! Saca primero la viga de tu propio ojo, y entonces verás con claridad para sacar la astilla del ojo de tu hermano».* (Lucas 6:42).

El reconocido autor, Gary Thomas, en su libro «*El matrimonio sagrado*»[7], recomienda que cada vez que veamos el error del otro, lo contrarrestemos orando por *nuestras* debilidades, pidiéndole a Dios ayuda por *nuestras* faltas y no por las de la otra persona. Además, nos anima a agradecer por todo lo bueno que esta persona nos haya hecho. Y aunque esta recomendación la orienta hacia el matrimonio, sin duda es aplicable a las relaciones en general.

Es ilógico pensar que para que alguien cambie debamos primero examinar nuestras heridas, pedirle a Dios por ellas, y luego agradecer por lo bueno que hemos recibido de aquellos que nos han ofendido. Damas y caballeros, aquí radica el secreto, la fórmula, la ecuación para ahorrarnos dolores de cabeza. Sé que quizás sean oraciones que no veamos respondidas de inmediato, sino a largo plazo, pero serán respondidas mientras nos vistamos de perdón.

Viste tu alma de perdón, ama sin reproche, sin exigencia, sin esperar algo a cambio; perdona aun cuando no te hayan pedido perdón. Permite que tu espíritu, alma y cuerpo siempre anden unidos, y en concordancia a cómo te ves y lo que reflejas. Que no seas hermosa por fuera, pero con una herida que sangra por dentro. Recuerda que mientras más pasan los años, la herida se puede abrir más y más, afectando tu alma y quitando la firmeza de tu espíritu.

¿Cómo te ayudas? ¿Cómo perdonar cuando no sientes hacerlo? Aquí viene la parte del espíritu: alimentándote de la Palabra de Dios y de la presencia divina, que es la que te dará las fuerzas para hacerlo posible. Ya sé que esto no va de la mano con la lógica humana, pero sí con la de Dios, que es la que le da sentido a nuestra existencia y a nuestra identidad. ¡Vamos! Luce tu mejor atuendo y vístete de perdón.

(7) Thomas, Gary. 2011. *Matrimonio Sagrado, nueva edición: ¿Y si Dios diseñó el matrimonio para santificarnos más que para hacernos felices?*. Editorial Vida

¿Qué haces cuando alguien te ofende?

¿Reconoces tus heridas?
¿Qué estás haciendo para ser sana de ellas?

¿Hay alguien a quien tengas que perdonar hoy?

*«Tú has sanado toda la herida, no estoy sola, no.
Todo el pasado lo has borrado, la cruz se lo llevó».*

(Fragmento de mi canción «Fuerte»)

Cortar para florecer

«Yo soy la vid verdadera,
y mi Padre es el labrador.
Toda rama que en mí no da fruto, la corta; pero toda rama que da fruto la poda para que dé más fruto todavía».

(Juan 15:1,2)

Todo parece marchar de acuerdo con el plan. Sientes que es tu mejor época y, de repente, llega lo inesperado; una noticia pone a temblar tu fe, tu identidad, tu carácter. Estás siendo podada y duele.

Cuando con mi esposo nos mudamos a la Florida, acababa de pasar un fuerte huracán que tumbó muchísimos árboles. Fue la primera vez que vi las consecuencias de ese fenómeno, los árboles caídos obstaculizaban el paso en las calles; fue una época muy dura. Yo me preguntaba por qué esos árboles, tan grandes y bellos, no tuvieron la suficiente fuerza para resistir los vientos huracanados; pero después noté lo frágiles y pequeñas que eran sus raíces. Entonces entendí esta parte del versículo: «Toda rama que en mí no da fruto, la corta; pero toda rama que da fruto la poda para que dé más fruto todavía». Los árboles que fueron arrancados de raíz eran los que no tenían la estructura adecuada y solo quedaron aquellos que estaban firmes.

Así como estos fuertes vientos, habrá cambios en nuestra vida que nos van a querer tumbar. La vida es como una montaña rusa: no sabemos cuándo sube y baja, está llena de sorpresas; pero nuestro deber como seguidores de Cristo es preparar nuestras raíces, permitiendo que nuestro jardinero, que es Jesús, nos limpie a través del Espíritu Santo para que llevemos más fruto. Aunque duela, será mejor quedarnos sin hojas que quedar como esos árboles caídos. A este proceso de limpieza se le conoce como la «poda».

Mi estación preferida del año es el otoño, por sus hermosas hojas amarillas, naranja y rojas. Aunque llega un momento en que se puede ver al árbol decaer y perder su textura, en realidad se encuentra trabajando internamente; todos sus esfuerzos se centran en hacer más fuertes sus raíces. El árbol ha entendido que no sirve lo grande que sea, ni lo bello de su tronco, de sus ramas y sus hojas, si cualquier viento puede hacerlo caer; por eso prefiere ser podado de manera natural en el otoño.

El ser podado es vital porque ayuda al árbol a crecer, conforme a su capacidad y estructura. Sin poda, el árbol puede tomar una forma desproporcionada a su capacidad, y produciría un crecimiento que sus raíces no resistirían. Además, la poda ayuda a que no se presenten plagas, y así, el árbol lleve más fruto, preparándolo para cuando sea tiempo de florecer. Durante la poda es importante que el árbol tenga el alimento adecuado; sin él no tendrá la fuerza necesaria para formar sus nuevas ramas. Este proceso deberá estar acompañado del abono, sobre todo después de la poda.

Al igual que el árbol necesita ser alimentado, nosotras necesitamos nutrirnos de la presencia de Dios y su Palabra. Muchas veces, cuando viene la poda, hacemos lo contrario: nos alejamos de Dios, porque nos sentimos indignas, y huimos de su presencia al creer que Él se olvidó de nosotras. No tenemos en cuenta que es cuando más cerca está, que todo es parte de su plan y proceso para llevarnos a la estatura del varón perfecto, que nos hará dar fruto y florecer. Entonces, cuando te sientas más lejos y más imperfecta por todo lo que está aconteciendo alrededor tuyo y en tu interior, recuerda que es porque estás siendo podada. Es decir, estás más cerca de florecer.

Refúgiate en Dios y en sus fuerzas. Sé que este proceso de limpieza y de cortar todas las ramas que ya no tienen vida es muy doloroso, pero es una señal de que se avecina algo nuevo, que los días tristes se irán y que pronto se verán las flores. *«Si se derriba un árbol, queda al menos la esperanza de que retoñe y de que no se marchiten sus renuevos».* (Job 14:7).

¿Cómo están tus raíces?

¿Te has sentido podada por Dios?
¿En qué área de tu vida?

¿Cómo te nutres durante el tiempo de poda?

«Cantaré bajo la lluvia y me gozaré en tu amor,
danzaré en el desierto;
tú me sostendrás, oh, mi Dios».

(Fragmento de mi canción «Tú me sostendrás»)

Parada sobre la roca

«Sé tú mi roca de refugio
adonde pueda yo siempre acudir;
da la orden de salvarme, porque tú eres
mi roca, mi fortaleza».

(Salmo 71:3)

A veces tenemos la idea equivocada de que, por ser hijas de Dios, no tendremos problemas. Al contrario, sí que los tendremos; pero sabemos que a los que aman a Dios, todas las cosas les ayudan a bien. Escribo este capítulo después de que toda mi familia, excepto mi bebé Elías (gracias a Dios), dimos positivo al COVID-19. Esta fue una de las pruebas más fuertes de mi vida, porque tuve que separarme de Elías por unas semanas para que no se contagiara y así cuidar del resto de la familia con las pocas fuerzas que tenía. Momentos como estos hacen que nuestra fe decaiga, que nuestra identidad sea atacada, y nos preguntemos: «¿por qué si soy cristiana me pasa esto?» Llega el temor a nuestra mente, tratando de lograr lo que el enemigo siempre ha querido: quitarnos la paz y separarnos de Dios.

No voy a negar que tuve temor; pero esto me ha llevado a darme cuenta de lo que realmente significa estar parada sobre la Roca. Además de tener el virus, en esos días se cerró una puerta que llevaba mucho esperando y me sentí rechazada; nuestra agenda y cronograma de trabajo fueron afectados, vivimos golpes tras golpes. Mi vida no lucía colorida como mi Instagram o mis videos musicales. Estaba siendo atacada física y emocionalmente; pero ¿qué de lo espiritual? ¿Dónde estaba parada? Pude entender lo que la Biblia dice sobre la lepra, que nadie se quiere acercar al leproso. Así me sentí: no deseable para la sociedad ni para mí misma.

Como mujeres, especialmente, sufrimos muchos cambios emocionales. Si alguien hiere nuestro corazón, nos puede doler más que un golpe en el cuerpo. Por ejemplo, un divorcio, un compromiso roto, el despido de un empleo, y muchas cosas más, pueden alterar nuestras emociones, más allá de lo que nosotras mismas podamos controlar. Pero en la Biblia encontramos esta promesa: *«Solo él es mi roca y mi salvación; él es mi protector. ¡Jamás habré de caer!»* (Salmo 62:2). ¡Guau! Es decir, habrá momentos en que nos quieran sacar de nuestra zona de confort, y mover nuestra estructura; pero aunque estemos en el suelo, mientras estemos sobre la Roca, que es Jesús, nunca seremos sacudidas.

Permíteme abrirte un poco más mi corazón. En esos días estuve muy enojada conmigo misma, porque sentí que me enfrentaba con el mismo gigante de cuando era niña, sentí la misma impotencia. Perdí el anhelo de nutrirme espiritualmente, como si Dios tuviese la culpa de todo lo que me estaba pasando: la enfermedad y el «no» que recibí para un proyecto que venía realizando.

Es normal que como seres humanos nos sintamos mal cuando suceden cosas diferentes a las que esperamos y vemos distantes nuestros sueños; pero no debemos refugiarnos sino en la Roca, que es Jesús. Si Dios te dio una palabra y dijo que no serías sacudida, que todo obraría para tu bien, solo debes creer. Si las cosas cambian a tu alrededor, eso no significa que la palabra que te fue dada también cambió. Quizás tengas que modificar la estrategia para llegar al cumplimiento de esa promesa; pero la meta sigue siendo la misma, está intacta, y así debería estar tu fe.

Tu identidad no puede estar basada en tu situación actual; y si no te sientes calificada para una asignación o una tarea, si te sientes llena de limitaciones, con un panorama distinto al que imaginaste, pues ¡gloria a Dios!, es en la Roca donde encontrarás la opinión de Dios, que es la que importa. La verdadera estima radica en descansar en quien es Dios y lo que Él ya ha dicho; eso hará que, venga lo que venga y pase lo que pase, puedas tener descanso, porque tu Padre está escribiendo cada detalle de tu historia «despacito y con buena letra». Si se cierran puertas, Él abrirá las que debe abrir, en el tiempo correcto. Si estás en una prueba, Él te dará salida.

Como dije al inicio, todo nos ayuda para bien, y esta no será la excepción. Los «NO» en nuestra vida muchas veces están para que nos demos cuenta en dónde estamos paradas, para hacernos mejores, y para recordarnos que es en esa Roca en la que debemos permanecer. La enfermedad o el aguijón (ya sean debilidades o limitaciones) no deben alejarte de Dios, sino más bien acercarte a Él. Quizás el aguijón nunca se vaya, para recordarte la dependencia total que debes tener de Él.

Dios te creó tal cual eres, y aunque para otros no seas de gran valor, lo importante es lo que Él opine de ti. No debes odiar tus limitaciones ni menospreciarlas, porque en ellas se verá el poder de Dios. Enséñales a tus debilidades de la misma forma que le enseñarías a tu niño pequeño a caminar, a dar sus primeros pasos; no le harías sentir mal si se cae, sino que lo levantarías con paciencia hasta que logre caminar, e incluso correr. Ten paciencia porque Dios ya la tiene; no seas dura contigo misma y espera en la Roca, que es Jesús. Él hará lo que tenga que hacer. Todo está bajo control y mientras Jesús sea tu Roca, ¡no serás sacudida!

¿Quién te gobierna? ¿Dios o tus emociones?

¿Qué significa para ti «estar parada sobre la roca»?

¿Recuerdas alguna ocasión en la que pasaste por una prueba y cómo Dios estuvo allí para ayudarte?
Haz memoria y agradece a Dios.

«Inconmovible es tu amor, es mi seguridad.
No desespero porque sé que estás aquí».

(Fragmento de mi canción **«Fiel»**)

Cambio de planes

«Así, todos nosotros,
que con el rostro descubierto reflejamos
como en un espejo la gloria del Señor,
somos transformados a su semejanza
con más y más gloria por la acción
del Señor, que es el Espíritu».

(2 Corintios 3:18)

La semana pasada fuimos a visitar a unos pastores cercanos en otra ciudad. Yo debía cantar en su programa de Navidad, pero de un momento a otro, me quedé sin voz. Me sentí frustrada porque tenía un compromiso con ellos, había viajado desde lejos y no podía entender que algo saliera diferente a lo planificado. La pastora me dijo que no me preocupara, que ella quería disfrutar de mi compañía. Aproveché el momento y le conté de todos los proyectos que tenía, y algunas cosas que tuve que poner en espera hasta recuperar mi voz.

Ella pudo notar mi desesperación porque yo quería terminar todo de acuerdo con lo agendado. En medio de nuestra conversación, le comenté que iría a ver una obra musical de la vida de Ester, una doncella judía que se convirtió en reina en los tiempos del imperio persa. La pastora me hizo notar algo sobre esta historia a lo que no le había puesto atención. Me habló sobre todo el difícil proceso que pasó Ester antes de cumplir con la misión que le había sido encomendada por Dios.

A veces nos frustramos en las temporadas de espera, porque pensamos que estamos perdiendo el tiempo. Creemos que si algo sale diferente, entonces está mal y que va a afectar nuestro futuro, sin pensar que puede ser Dios dándole forma a nuestra historia. Somos parte de una sociedad acostumbrada a recibir todo con un chasquido de dedos, como cuando hacemos una compra en internet y estamos a solo un clic de tener lo que queremos; por eso deseamos todo ya, y no entendemos cuando debemos esperar.

Ester pasó un año preparándose para su noche con el rey, para llamar su atención y así convertirse en la elegida por él. Muchos podrían opinar que no era necesario ese tiempo de preparación, con tantos aceites y tanta capacitación; pero, al contrario, esta etapa de transformación era crucial para lo que venía. Los aceites representaban purificación, santificación y limpieza, y ella no podía dejar a un lado ese paso, porque era una mandato que todas las doncellas debían cumplir. Ester no solo estaba siendo formada para ser reina, sino también para salvar a su pueblo. *«Ahora bien, para poder presentarse ante el rey, una joven tenía que completar los doce meses de tratamiento de belleza prescritos: seis meses con aceite de mirra, y seis con perfumes y cosméticos».* (Ester 2:12).

Entiendo que podamos desesperar. En este momento, al escribir este libro, soy mamá primeriza, tengo apenas cuatro años de matrimonio, estoy llevando un ministerio y, en ocasiones, no todo luce como quisiera. Todo se detiene por mil cosas alrededor. ¿Qué hago? ¿Será que Dios se olvidó del plan que tenía para mí? ¿Será que su diseño para mí cambió? La pastora me miró fijamente y dijo: *«No porque tu vida luzca diferente quiere decir que Dios cambió lo que te prometió. A veces será necesario que cambies la estrategia para llegar a la meta; pero no la palabra que Dios te dio».*

Esto quiere decir que no hay nada, absolutamente nada, de lo que pueda pasar, de lo que puedan decir, de lo que puedan opinar de ti, que haga que Dios cambie lo que ya preparó. Por eso, no vivas del qué dirán ni de las apariencias, porque la visión te fue dada a ti. La reina Ester tenía una palabra, tenía un diseño del cielo escrito en su vida; pero no fue como ella pensaba. Tuvo que esperar; hubo un proceso que no pudo pasar por alto ni omitir. Las estrategias que Dios usa en nuestra vida muchas veces no parecen lógicas; pero sin darnos cuenta nos están formando y preparando para el camino que nos llevará a cumplir con la visión de Dios. Nunca hubiésemos imaginado que la captura de Ester era el camino que la llevaría al palacio.

Su historia me hace pensar en las mariposas que deben pasar por un cambio extremo llamado metamorfosis, para llegar a ser uno de los insectos más bellos. Metamorfosis viene de la palabra griega *meta*, «cambio», y *morfe*, «forma»; es decir «transformación»[8]. Esto se ve reflejado en las diferentes etapas por las que pasa la mariposa antes de ser lo que es: Primero, es un huevito o embrión; después se convierte en oruga o larva, que es la etapa en la que se alimenta de la hoja y se nutre de todo lo necesario para guardarlo como reserva y energía; luego es una pulpa, totalmente pasiva, sostenida por la energía y la reserva que guardó al ser oruga; hasta que finalmente, se convierte en una bella mariposa.

¿Qué curioso que el mayor cambio ocurre cuando está quieta, sin movimiento? Al igual que la reina Ester tiene un momento de preparación que es clave para su transformación. Por lo tanto, no le temas a los cambios, ni a la espera; no dudes de la promesa que fue dada en tu vida. A veces habrá cambios de planes, pero no de metas. Confía en esa palabra, y prepárate; mientras tanto, nutre tu vida de Dios y aguarda. No te compares con otras personas; recuerda que Dios escribe nuestras historias de maneras diferentes. En cualquier momento saldrán tus alas, y cuando menos lo pienses, te habrás convertido en una bella mariposa

[8] Metamorfosis. (s.f.). En ***Wiktionary***. Recuperado el 16 de noviembre de 2021, de https://es.wiktionary.org/wiki/metamorfosis

Preguntas de reflexión:

¿Con cuál etapa de la mariposa te identificas?

¿Cómo te estás preparando en el tiempo de espera para el llamado que Dios hizo a tu vida?

¿Qué cambios de planes ha permitido Dios en tu vida, por los que hoy estás agradecida?

«Si nada cambiara, no habría mariposas».

Wendy Mass

Halagos del cielo

«Y una voz del cielo decía:
"Este es mi Hijo amado;
estoy muy complacido con él"».

(Mateo 3:17)

Si hay alguien en la historia de la humanidad que pueda ser una guía perfecta en cualquier ámbito de nuestra vida, es Jesús, el Hijo de Dios hecho hombre, varón perfecto, esperanza de la creación, y aquel a quien le fue dado un nombre que es sobre todo nombre. Qué bien suena cuando decimos todo esto sobre Jesús, ¿verdad? Pero, espera, vayamos más despacio y miremos un momento trascendental en su vida; un instante en el que recibió un halago directo del cielo, que nos deja una enseñanza muy interesante.

Viene Jesús caminando, aproximadamente 70 millas desde Nazaret de Galilea, a donde se iba a encontrar con su primo Juan el Bautista, que predicaba en el río Jordán uno de los sermones más fuertes y controversiales que se podían escuchar. Jesús necesitaba ser bautizado, pues su ministerio estaba a punto de comenzar. Él había venido a cumplir la ley, no a abolirla.

En el corazón de Jesús estaba la convicción de que su obediencia debía estar respaldada por sus hechos; de otra manera no sería más que buenas intenciones. Por eso, para Él no fue un obstáculo tener que caminar tan larga distancia para cumplir su propósito, y además, tener un corazón humilde para permitirle a su primo bautizarle, aunque Él era Jesús, el Mesías.

Obedecer a Dios no será fácil ni placentero; pero debemos recordar que Dios estima altamente a alguien que decide obedecer. Él siempre está buscando obediencia en nuestro diario vivir.

La historia se pone aún más interesante cuando Juan ve a Jesús, que ha llegado a ser bautizado por él. Pensémoslo bien: el Hijo de Dios, perfecto y sin pecado, viene a su primo porque necesita que lo bautice como un acto de obediencia al Padre. Por supuesto, Juan se opone, diciendo: *«[...] Yo soy el que necesita ser bautizado por ti, ¿y tú vienes a mí? —objetó».* (Mateo 3:14). Ante esto, Jesús dice que es algo que se debe hacer, porque así lo requiere Dios. Tanta es la convicción en el corazón de Jesús, por caminar conforme a la voluntad perfecta de Dios, que no escucha razones, ni cuestiona posiciones. ¡Si Dios lo ha dicho, así lo haré!

Luego de ser bautizado por Juan, al salir del agua, los cielos fueron abiertos, descendió el Espíritu Santo, y se escuchó una voz del cielo, que decía: *«Este es mi hijo amado, en quien tengo complacencia»*. ¡Qué profundidad hay en esta frase! Justo antes de que Jesús empezara su ministerio recibe esta validación. Es como si antes de jugar un partido, se escuchara la voz de tu padre desde las gradas, diciendo: *«Esa es mi hija; para mí ya es campeona»*. Esas palabras te harían sentir ganadora sin siquiera haber jugado el partido, porque las palabras de tu padre te levantan, te afirman y te sanan.

Ser hijos es lo más grandioso, y ser alguien en quien el Padre se deleite debe ser nuestra meta cada día; por eso, debemos vivir de manera que los cielos se abran y que el Espíritu Santo descienda. Muchas veces oramos para que la presencia de Dios se manifieste y no hacemos nada al respecto. El acto de obediencia de Jesús tuvo como resultado la aprobación de Dios. Nuestro Padre no puede resistir cuando encuentra a alguien que vive conforme a su corazón; nuestra obediencia nos hará famosas en el cielo, y también en el infierno.

Observemos estos ejemplos: *«Tras destituir a Saúl, les puso por rey a David, de quien dio este testimonio: "He encontrado en David, hijo de Isaí, un hombre conforme a mi corazón; él realizará todo lo que yo quiero"»*. (Hechos 13:22). También lo vemos en la vida de Job: *«¿Te has puesto a pensar en mi siervo Job? —volvió a preguntarle el Señor—. No hay en la tierra nadie como él; es un hombre recto e intachable, que me honra y vive apartado del mal»*. (Job 1:8).

Es increíble que los ojos de Dios estén puestos sobre nosotras en cada acción, en cada pensamiento, en cada detalle. Él nos conoce y está esperando encontrar a alguien que le adore con su manera de vivir, poniendo la otra mejilla, pidiendo perdón y perdonando; muriendo al «yo» para que Él viva en el corazón.

Mientras las redes nos dicen que tendremos más seguidores si nos vestimos y maquillamos de cierta manera, y si hablamos de cierta forma; Jesús nos dio la clave de cómo ganarnos el «like» de Dios en primer lugar, lo cual también nos hará deseables para los demás. Caminar sabiendo que hemos sido aprobadas por Él nos traerá seguridad, paz, y gozo en medio de cualquier circunstancia, incluso aun cuando otros nos descalifiquen y menosprecien. La obediencia a Dios, sin cuestionar sus mandatos, tiene sus recompensas, empezando por un halago del cielo.

Preguntas de reflexión:

¿En qué área de tu vida te esforzarás más para reflejar obediencia a Dios?

¿Has sentido a Dios sonreír alguna vez por alguna acción tuya?

¿Qué halago sientes a Dios decirte ahora?

«Cada palabra que hablas, es el aliento que respiro».

(Fragmento de mi canción «Steal me away»)

La honra de servir

«El que cuida de la higuera
comerá de sus higos,
y el que vela por su amo
recibirá honores».

(Proverbios 27:18)

¿Has escuchado alguna vez la frase «nadar con tiburones»? Es un concepto popular en el mundo de los negocios, que motiva a las personas a tomar riesgos y desarrollar una actitud agresiva para llevar su ámbito laboral a un nivel superior. «Nadar con tiburones» es tener una posición respetable y mostrar una actitud de hierro ante los «tiburones» que te rodean en el estanque; es una lucha constante por devorar los peces pequeños para que solo los fuertes permanezcan arriba y no haya espacio para los débiles. Pero, ¿qué dice la Biblia al respecto?

Cierto día, una mujer se acercó a Jesús para pedirle que ordene que en su Reino sus dos hijos se sienten a su lado, uno a la derecha y otro a la izquierda. Ante esto Jesús le dice que es algo que solo Dios Padre determina. Además, nos da una enseñanza para la vida: *«Al contrario, el que quiera hacerse grande entre ustedes deberá ser su servidor, el que quiera ser el primero deberá ser esclavo de los demás».* (Mateo 25:27).

No hay mucha lógica en decir que si quiero ser el más grande debo ser pequeño, y que si quiero ser el primero debo ser servidor de los demás. Pero Jesús nos enseñó de todas las maneras posibles que el Reino de Dios y su justicia son diferentes a nuestros pensamientos. Si queremos ser «tiburones» dentro del estanque de la vida, debemos primeramente ser fieles servidores de los demás; esto traerá gracia, favor, aceptación y estima por parte de los que nos rodean, aunque no nos demos cuenta de ello.

Recuerdo una ocasión en que había sido invitada a ser parte de un musical de una prestigiosa iglesia. Llegó el día del ensayo, y se estaba tardando cada número; las horas pasaban y parecía que no habría tiempo para ensayar mi parte. Algunas personas consideraban que yo debía pronunciarme porque era la invitada especial y venía de otro país; tenía que exigir mi derecho, pedir prioridad; tenía que ser un tiburón. Pero, ¡qué equivocadas muchas veces estamos! Las cosas no se mueven así en el mundo espiritual.

Todos en ese lugar teníamos el mismo derecho; todos estábamos haciendo un esfuerzo por estar allí y ensayar, así que tomé asiento, aplaqué mi orgullo, y con una sonrisa me quedé disfrutando del ensayo hasta el final. Sin darme cuenta, los pastores de la iglesia me habían estado observando todo el tiempo y días después me llamaron a una reunión privada; destacaron lo que pasó, sorprendidos de que me había quedado y que no les pedí nada. El pastor dijo: «*Es el corazón lo que te llevará lejos*». ¡Guau! Fue una pequeña actitud basada en la Palabra que hizo que encuentre en ellos gracia y favor.

Proverbios 27:18 enseña que si cuidamos de la higuera comeremos de su fruto, pues recibiremos el beneficio de esa planta que ha sido cuidada. La otra parte dice que si, además de cuidar de la planta, cuidamos de los intereses de nuestro Señor, como beneficio añadido al fruto, recibiremos honra. Cada paso y esfuerzo que hacemos a favor del Reino de Dios, del servicio a los demás, y de reflejar a Cristo, sumará honra a nuestra vida; lo cual se verá reflejado en nuestro ámbito laboral, emocional, familiar y ministerial.

Servir a los demás de corazón nos hace ser vistos con buena estima y alcanzar buena posición ante los demás. Parece contradictorio, pero es un principio dado por Jesús mismo a sus discípulos. Quizás hemos tratado de alcanzar buena posición de muchas maneras que no han dado resultado, o hemos llegado a pensar que no tenemos suficiente talento para que los demás nos vean como personas importantes o valiosas; pero es que no hemos notado que sirviendo a otros no necesitaremos de palabras ni pruebas para ser vistos con alta estima.

La honra que se recibe por servir a otros y velar por los intereses de nuestro Padre celestial, es una honra que viene directamente de Dios, es una gracia que no va ligada a nuestro aspecto físico, a nuestro nivel educativo o a nuestra manera de vestir. Es la gracia de Dios que actúa con justicia y defiende la causa de aquellos que se esfuerzan; y como es dada por Dios, nadie ni nada podrá quitarla.

Si queremos «nadar con tiburones», debemos vestirnos de servicio, humildad, amor por los que nos rodean, y genuino interés al momento de servir; entonces, y solo así, seremos galardonadas con honra, llevadas a posiciones privilegiadas y el favor de Dios estará con nosotras en cada cosa que emprendamos, porque Dios honra al que le honra.

Preguntas de reflexión:

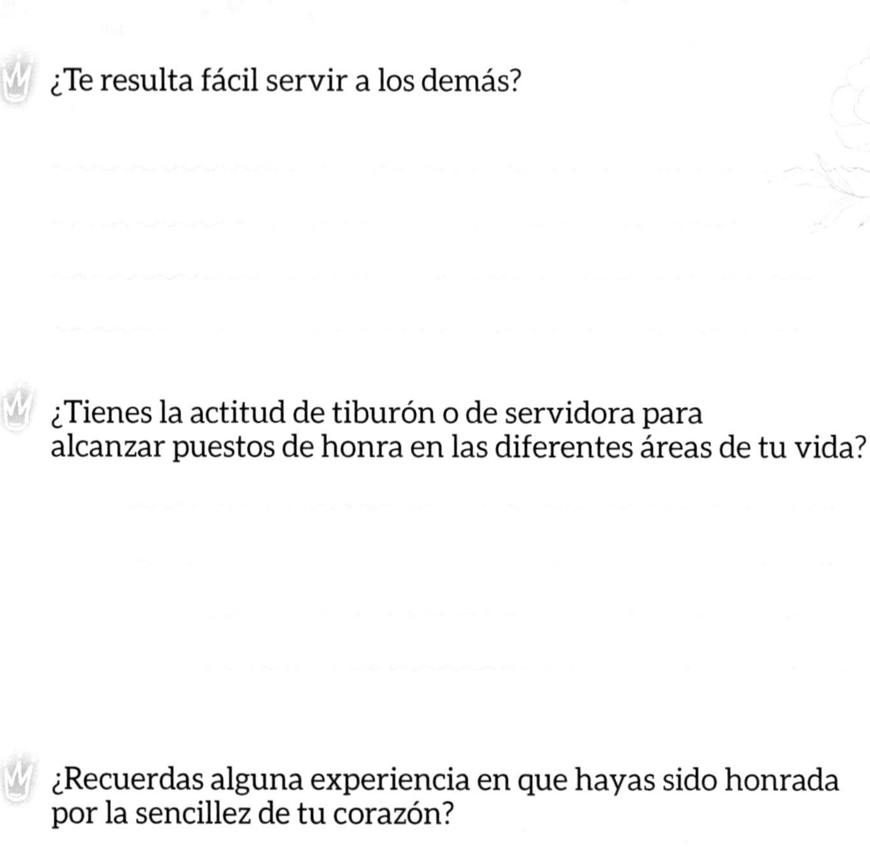

¿Te resulta fácil servir a los demás?

¿Tienes la actitud de tiburón o de servidora para alcanzar puestos de honra en las diferentes áreas de tu vida?

¿Recuerdas alguna experiencia en que hayas sido honrada por la sencillez de tu corazón?

«Todo he dejado por servirte a ti.
Mi humanidad se rinde y te adora a ti».

(Fragmento de mi canción «Con todo el corazón»)

Escondida

«Aunque la tierra tiemble
no debo temer.
Aunque tormentas lleguen
en ti yo confiaré»

- Anna Ly,
"Tú me sostendrás"

Algo de lo que me parece más extraño son los seguros; sí, los seguros. Qué raro es destinar parte de tu dinero por si acaso llega un día malo. Es diferente ahorrar mensualmente para las vacaciones soñadas o ese carro que tanto deseas comprar. Hablar de seguros es un poco raro, especialmente si se trata de un seguro de vida, de accidentes o mortuorio.

De algo podemos estar totalmente seguras, y es que habrá «días malos»; no necesariamente por un accidente o por la pérdida de un ser querido, pero los habrá. Días en que estemos destrozadas emocionalmente; un día diferente a los demás, quizás uno como el que tuviste hoy, que, aunque trates de contarle a alguien lo que te pasa, será casi imposible que logre entender lo que sientes. Días en que los esfuerzos que haces no son valorados, los errores o las situaciones pasadas vienen a tu mente y logran desarmarte por completo. Eventos como estos llegan a desestabilizarnos emocionalmente y nos muestran, en un segundo, lo frágiles que podemos ser.

El rey David, quien fue declarado por Dios mismo como un varón conforme a su corazón, enseña en el libro de los Salmos la mejor manera para enfrentar este día malo, y es esconderse; por muy curioso que parezca leer este consejo de un rey conquistador y valiente, que siendo adolescente mató a un gigante y luchó contra ejércitos hasta vencerlos. Pero no se trata de escondernos en una cueva o en nuestra habitación; el secreto está en escondernos en la presencia de Dios, en su tabernáculo. Es reconocer que no hay lugar más tranquilo y en paz que el corazón de nuestro Señor.

No obstante, debemos tomar en cuenta que nuestra humanidad nos querrá alejar de su presencia, invitándonos a huir de Él cuando no nos sintamos dignas de su amor, o lo suficientemente puras; así como Adán y Eva lo hicieron al comer del árbol del conocimiento del bien y del mal y se vieron desnudos.

Solamente escondidas en Dios podemos reconocer nuestra fragilidad y dependencia absoluta, sin riesgo alguno a ser juzgadas. Allí nuestros errores y el pasado no logran alcanzarnos, y las muchas aguas que nos rodean y amenazan con arrastrarnos, no logran apagar el amor de ese corazón que nos ha amado desde la eternidad. *«Ni las muchas aguas pueden apagarlo, ni los ríos pueden extinguirlo. Si alguien ofreciera todas sus riquezas a cambio del amor, solo conseguiría el desprecio».* (Cantares 8:7)

David nos muestra el camino a un escondite seguro, que no solo será refugio en la tempestad en el día malo, sino que también nos *pondrá sobre una roca en alto*, donde nada de lo que pase a nuestro alrededor logrará tocarnos. Vendrán vientos y olas; pero la Roca inconmovible permanecerá segura para nosotras.

Por muy difícil que sea vivir este «día malo», recuerda que no es más que un período determinado, y aunque podría durar más de un día, meses o años, es una temporada que acabará. Alguna vez alguien me dijo: *«El luto también tiene fecha de expiración»*. Esta es nuestra esperanza y consuelo ante ese tiempo de fragilidad, que no durará para siempre. Al terminar saldremos de ese escondite con la cabeza en alto, con una alabanza en nuestro corazón, y con nuestras fuerzas renovadas por amor. *«Me hará prevalecer frente a los enemigos que me rodean; en su templo ofreceré sacrificios de alabanza y cantaré salmos al Señor».* (Salmo 27:6)

¿Tuviste de pequeña un escondite preferido? ¿Lo recuerdas?

¿En dónde te refugias o a dónde acudes habitualmente en momentos de dificultad?

¿Cuál versículo te llamó más la atención en este capítulo y por qué?

«Aunque la tierra tiemble, no debo temer.
***Aunque tormentas lleguen, en ti yo confiaré*».**

(Fragmento de mi canción «Tú me sostendrás»)

Amistades que construyen

«El que anda con sabios, sabio será; más el que se junta con necios será quebrantado.»

Proverbios 13:20

Un día leí en internet esta frase que llamó mi atención: «*Jesús sanó a un hombre paralítico por la fe de sus amigos. ¿Crees que no importa con quién te juntas?*» Rápidamente recordé la historia del hombre paralítico, que se encuentra en Marcos 2, quien fue llevado por sus amigos al encuentro de Jesús para recibir su milagro. Cuánto amor y aprecio había en la vida de estos hombres a quienes no les importó lo que tuviesen que hacer para llevar a su amigo a los pies de Aquel que lo podía curar. «*Entonces vinieron a él unos trayendo un paralítico, que era cargado por cuatro*» (Marcos 2:3).

Estos amigos, cuyos nombres no conocemos, no se desconcertaron porque no había espacio en la casa en Capernaum donde se encontraba predicando Jesús, ni por la multitud que había alrededor de Él. Más bien, buscaron una manera de entrar; y fue así como llegaron al techo, donde hicieron una abertura y bajaron el lecho con su amigo paralítico. ¡Impresionante! Lo que atrae más mi atención en esta historia es que Jesús, al ver la fe de ellos, perdona los pecados de este hombre y lo sana. Fue la fe de sus amigos lo que provocó la sanidad; fue la fe de sus amigos la que conmovió el corazón de nuestro Señor.

La amistad es un regalo de Dios donde podemos encontrar sanidad, perdón y restauración; una amistad verdadera nos ayuda a llegar a Dios. Así que, respondiendo la pregunta con la que iniciamos este capítulo, ¡claro que importa con quién nos juntamos! Estos amigos no vieron inconveniente; buscaron la forma de lograr lo que se habían propuesto por el bien de su compañero. Los verdaderos amigos son los que te llevan a los pies de Jesús, los que te miran con los ojos de la fe, los que te ven completa aunque te sientas rota, son los que te recuerdan tu propósito y te ayudan a llegar a Él. Si no hubiera sido por los amigos este hombre no hubiese recibido la salvación, ni mucho menos su sanidad.

El día en que perdí mi voz y me detectaron un pólipo en mis cuerdas vocales, parte de mí sintió que se había acabado mi ministerio, que ya no tenía razón de ser, pues no podía cantar. Llegué a pensar que ya no haría nada más en mi vida, pues no tenían sentido mis sueños sin mi voz. Mi autoestima estaba apoyada en mi propia prudencia, en mi talento, en mis habilidades. El doctor me ordenó guardar reposo por tres meses, tres meses sin pronunciar una sola palabra, o si no, me tendrían que operar. En aquel momento dirigía un grupo de mujeres que se reunía los lunes a las cinco de la mañana para orar, y estaba a punto de desistir, pues ya no podría cantar o hablar... ¿cómo iba a adorar? Para mí, Anna Ly era igual a voz. Pero el día en que peor me sentí me escribió Rebeca, una de mis mejores amigas, y me dijo: *«Tú eres una artista. Dios puso su arte en ti. Si no puedes cantar ahora, adora a Dios danzando, adora a Dios pintando, adora a Dios escribiendo. Tú eres más que una voz»*. Eso me dejó en silencio (aunque literalmente ya lo estaba). Recuerdo conectarme a una madrugada de adoración y en vez de cantar, me puse a danzar en el cuarto de mi bebé. Sentí la presencia de Dios esa madrugada hablando a mi corazón: *«Fíjate lo que tengo que hacer para llamar tu atención»*. Fueron las palabras de mi amiga que abrieron un agujero en el techo de mi vida; sin ella saberlo, me bajó en mi lecho y me llevó a los pies del Maestro, una vez más.

Los seres humanos hemos sido creados como seres sociales; por eso, en nuestra naturaleza está la necesidad de relacionarnos y crear vínculos con otras personas. La amistad es un plan de Dios para la edificación de su pueblo. Él ha puesto personas a nuestro alrededor para que sean de influencia positiva en nuestra vida, para que tomemos buenas decisiones, y para que no nos sintamos solas en tiempos de angustia *«[...] y amigo hay más unido que un hermano»* (Proverbios 18:24).

Es muy cierto que un amigo puede construir o destruir la vida de una persona. Seamos cuidadosas a la hora de elegir amigas.

Tan importantes son las buenas amistades que tienen la capacidad de acercarnos a los pies del Maestro o alejarnos de Él. Este puede ser un buen filtro al momento de elegir una amiga: Esta persona, ¿me acerca a Jesús o me aleja de Él? Una verdadera amiga te lleva a Cristo, aun cuando a veces no tenga los medios ni las fuerzas de hacerlo, como los amigos del hombre enfermo.

Los amigos afilan, los amigos moldean, los amigos edifican, los amigos son instrumentos de Dios para mostrarnos su amor y propósito. Los amigos muchas veces dejan de lado sus peticiones para enfocarse en las de aquellos que aman, y de ser necesario, usan su fe cuando la nuestra no es suficiente; te defienden en tu ausencia y velan por guardar tu buen nombre. Es sumamente importante quiénes están a nuestro lado; es tan importante como lo es el carácter que queremos forjar, los sueños que queremos alcanzar, las metas que queremos lograr. Esto no quiere decir que tienes que buscar amigas que siempre te halaguen o que te hagan sentir bien; busca amigas que te muestren el camino a Jesús y que te hablen con la verdad.

¿Y qué de nosotras? ¿Nos alcanzan los dedos para contar las amigas, o ni siquiera tenemos una? Si no tenemos una, no es porque nadie quiera estar con nosotras, sino más bien puede significar que debemos evaluar nuestra actitud hacia los demás. Fíjate en el consejo de uno de los hombres más sabios de la historia: Salomón. En Proverbios 18:24 dice: «*El hombre que tiene amigos ha de mostrarse amigo [...]*» Sí, es nuestro deber ser esa clase de amigo. Debemos ser una amiga como la que quisiéramos tener. Eso significa que si queremos alguien que nos aconseje, debemos estar listas a aconsejar; si queremos tener alguien en quien podamos confiar, debemos estar dispuestas a ser una mano extendida para nuestras amistades cuando sea necesario.

No podemos esperar tener las amigas soñadas si no cultivamos esa amistad. Quizá nos parece que esa amiga (o amigo) no ha llegado a nuestra vida; pero lo que realmente está sucediendo es que no nos hemos mostrado como amiga para otros. Puede ser que seamos un poco egoístas y tratemos de buscar los beneficios de la amistad sin estar dispuestas a sacrificar nuestro tiempo e invertir nuestra vida en ayudar a quien lo necesita.

Si en tu corazón te preguntas cuánto es necesario amar a nuestras amistades y hasta qué punto debemos desprendernos por amor a ellas, te diré la enseñanza de Aquel que ha amado más que cualquier otro en esta tierra, Jesús: *«Nadie tiene mayor amor que este, que uno ponga su vida por sus amigos»* (Juan 15:13). Sin duda, esto es lo que Jesús encontró en los cuatro hombres que llevaron a su amigo a sus pies y no se pudo resistir esa fe.

Busquemos y cultivemos la clase de amistad que agrada a Dios; esto nos ayudará a estar cada día más cerca de Él.

Preguntas de reflexión:

¿Qué clase de amiga eres?

¿Qué clase de amiga quisieras ser?

¿Qué clase de amiga quisieras tener?

Las amigas que tienes, ¿edifican tu vida? ¿Cómo?

«El que anda con sabios, sabio será;
***más el que se junta con necios será quebrantado*».**

Proverbios 13:20

¿Cómo quieres vivir?

«En el agua se refleja el rostro,
y en el corazón
se refleja la persona».

(Proverbios 27:19)

No puedo olvidar un día, cuando tenía alrededor de diez años, que estaba comiendo junto a mis primas a quienes no había visto por mucho tiempo. Buscando un tema de conversación le dije a una de ellas que la veía más llenita. Ella estalló en llanto y dijo a sus padres que la había llamado gorda. Las personas alrededor me miraron mal porque pensaron que mi fin había sido ofenderla, y me regañaron. A mi prima le fue difícil perdonarme porque decía que ella era orgullosa, que eso era algo de familia y que no podía cambiar. Lo llevaba en alto, como si fuera su bandera: *«somos así y no podemos cambiar»*. Los años pasaron y en varias ocasiones la escuché repetir la misma frase, excusando su manera de ser. No fue algo que dijo porque era niña, sino que ese pensamiento ya estaba arraigado en ella. En ese momento aprendí que nuestro futuro será el resultado del concepto y la valoración que tengamos de nosotras mismas; por eso, debemos prestar mucha atención a cómo vivimos y lo que permitimos que entre en nuestro corazón.

Mi prima y yo nos parecíamos mucho. Si alguien me miraba mal, yo lloraba; si una de mis mejores amigas tenía una nueva amiga, me sentía rechazada. Pero un día me pregunté: *Anna Ly, ¿cómo quieres vivir? ¿Quisieras ser así toda tu vida?* Esa fue una de las razones que me llevó a escribir este devocional.

Cuando no tenemos creado un concepto correcto de nosotras mismas, seremos marionetas del mundo, que pueden llegar a retrasar los planes de bien que Dios tiene para nuestra vida. Debemos ser conscientes que los deseos de la carne siempre nos van a arrastrar por el camino equivocado; un camino lleno de resentimiento, orgullo y egocentrismo, que tiene un fin de muerte. Darle cabida a malos pensamientos, llenos de odio y rencor, afectará nuestra salud física y mental. Muchos crímenes, divorcios y peleas se han dado a raíz de una baja autoestima, algo que tenemos desde la niñez. Por eso, no debemos dejar que ninguna persona, ni siquiera nuestros padres, nuestro esposo o nuestras amigas nos definan. Nuestra esencia debe provenir de lo alto, porque esto nos traerá calidad de vida y felicidad. ¿Cómo quieres vivir?

Muchas veces, como padres, cometemos el error de comparar a nuestros hijos con nosotros mismos, por querer que sean iguales o mejores. Mi mamá siempre me comparaba con ella para buscar que yo fuera más responsable. Por ejemplo, me decía: «A tu edad ya sabía cocinar; a tu edad ya ayudaba a mis padres; a tu edad era más organizada». Muchas veces, en lugar de animarme, me hacía sentir incapaz. No me malinterpretes; he tenido la mejor madre del mundo y me ha enseñado muchísimo; pero en esta área ella no había notado lo mal que me hacía sentir y me di cuenta de ello cuando ya era adulta.

La autoestima hay que cuidarla desde el hogar. Para guardar el corazón de nuestros hijos los padres debemos analizar cómo nos dirigimos a ellos. Hagámosles ver que hay un espejo más importante que el nuestro, que contiene el reflejo de Jesús, y que es allí donde debemos llevar su mirada. Esto también se aplica a las que somos esposas o futuras esposas. ¿Cómo debemos hablarle a nuestro cónyuge? ¿Lo debemos comparar con nosotras? Mi esposo constantemente me recuerda que en mí quiere encontrar un lugar donde descansar, un lugar donde se levante su cabeza cuando afuera no haya tenido un día bueno.

Si estás luchando con pensamientos que quieres cambiar, te presento las claves que me han ayudado a mejorar mi modo de vivir: En primer lugar, debemos empezar filtrando todos nuestros pensamientos y separar aquellos que nos están afectando. Una vez los tengamos identificados, debemos alejarnos de aquello que nos hace mal. Si es una persona cercana, tenemos que hablarle y decirle lo que nos hacen sentir sus palabras o su actitud. No permitas que esto siga arraigándose en tu corazón ¿Para qué regar una semilla que no quieres que dé fruto? Por ejemplo, un día hablé con mi mamá y le dije cómo me sentía cuando ella se expresaba así; ella me pidió perdón y me dijo que no se había dado cuenta cómo esto me afectaba.

En segundo lugar, un arma de guerra para vencer estos dardos de fuego del enemigo es la adoración. La adoración te permite admirar, contemplar, y reconocer a Aquel que es mayor que todo. Le recuerda a nuestra identidad no estar basada en el temor humano; es decir, en lo que nos puedan decir o hacer, sino más bien en el temor de Dios. Todo empieza cuando recordamos quién es Él. Esto nos hace concentrarnos en lo que realmente importa y nos ayuda a dejar nuestro temor a un lado, nuestras cargas, nuestro dolor, y toda herencia emocional que venimos cargando por años. Al no enfocarnos en nosotras sino enfocarnos en el Señor nos ayuda a caer en cuenta de que lo que tiene peso es lo eterno y no lo que a veces creemos.

¿Recuerdas la historia de Gedeón?[9] Él venía de una familia pobre, era el menor de la casa, y estaba lleno de miedo. Un día se le apareció un ángel, que le dijo: *«Varón esforzado y valiente, ve con esta tu fuerza, y libera al pueblo de Israel»*. Gedeón respondió con base en su situación actual: «Yo soy pobre; soy el menor de mi casa». En otras palabras, ¿de qué fuerzas hablas? Automáticamente se excusó, porque repitió lo que quizá se le había enseñado cuando era niño: *«Gedeón, no sueñes; eso es imposible para ti. No tenemos los recursos, no eres igual a tus hermanos, no tienes la fuerza»*.

El ángel se presentó diciendo palabras opuestas a su realidad; no acarició su baja autoestima, sino que la levantó diciendo: *«Varón esforzado y valiente»*, palabras desde la perspectiva y el espejo de Dios. Esto provocó en él pensamientos positivos, que lo llevaron a librar grandes batallas, como destruir el santuario que se había construido al ídolo Baal y levantar un altar a Dios. ¿Cómo quieres vivir? Pídele a Dios que te recuerde quién eres, que te ayude a formar el concepto de ti misma para que no lleves una vida llena de lo que los demás dicen de ti. No fuiste creada para eso; ¡fuiste creada para ser LIBRE!

[9] Jueces 6-8

¿Qué pensamientos te roban la paz?

¿Cuál es la fuente que alimenta esos pensamientos?

¿Qué harás para eliminarlos de tu vida?

¿Cuál es el concepto que tienes de ti?

«Hace dos mil años la historia se partió
y allí Él me cambió».

(Fragmento de mi canción «Brillando»)

Pacto de amor

«Mi arco he puesto en las nubes, el cual será por señal del pacto entre mí y la tierra».

(Génesis 9:13, RVR1960)

Era una época de mucha maldad y corrupción, los pecados iban en aumento; la Biblia nos cuenta que *«[...]todos sus pensamientos tendían siempre hacia el mal [...]»* (Génesis 6:5). Por lo cual, Dios tomó la decisión de destruir la humanidad por medio de un gran diluvio. En medio de todo este caos se encontraba un hombre justo, intachable, que mantenía una relación cercana con Dios; su nombre era Noé. Noé significa *consolador o alivio.* Fue un hombre que halló gracia ante los ojos del Señor, y esta gracia alcanzó a su familia. Por esto, Dios le dio la instrucción de llevar a cabo un plan majestuoso de salvación: la construcción de un arca.

Noé tenía 400 años aproximadamente cuando Dios le dio la instrucción de construir el arca, y unos 600, cuando subió a ella con su familia. Fijémonos por un momento que no se trataba de un joven con todas sus fuerzas, o de un equipo de albañiles profesionales. Era solo un hombre, común y corriente, al cual se le asignó esta tarea. Tenía muchas cosas en contra, empezando por su edad, su condición física, y su entorno. Para nadie fue un secreto la construcción del arca, ya que por sus medidas debía ser hecha en un lugar amplio, donde estoy segura de que todos presenciaban el proceso.

Me imagino la conversación de sus vecinos, pero a Noé nadie lo detenía. *«Por medio del Espíritu fue y predicó a los espíritus encarcelados, que en los tiempos antiguos, en los días de Noé, desobedecieron, cuando Dios esperaba con paciencia mientras se construía el arca. En ella solo pocas personas, ocho en total, se salvaron mediante el agua»* (1 Pedro 3:19,20). Si queremos hablar de autoestima, hablemos de Noé. Podemos aprender mucho de su vida, porque no se preocupaba del qué dirán sino que veía más allá. Él sabía cómo terminaría la historia y caminaba en pos de su meta. Noé mantenía su vista en el pacto de amor de Dios, en su promesa. En este caso, Dios dijo que lo salvaría; eso era lo único que él tenía en su mente. Me lo imagino mientras colocaba tabla sobre tabla, soñando con ese arcoíris que algún día sus ojos verían, la historia que contaría a sus nietos y bisnietos de ese maravilloso pacto de amor.

Quiero que nos detengamos un momento y hablemos de las excusas que muchas veces nos impiden cumplir el plan de Dios. Alguna vez hemos pensado: *«soy muy pequeña», «soy muy grande», «ya pasó mi oportunidad y no la aproveché», «tengo miedo».* No damos ese salto de fe por varios ladrillos de incredulidad que nos llevan a construir una pared, en vez de un arca de fe. A Noé lo que menos le importaba es lo que pudieran hablar de él. Su único fin era ser visto con agrado por su Señor. Por tanto, *«Noé hizo todo de acuerdo con lo que el Señor le había mandado»* (Génesis 7:5). Él nunca había visto un diluvio, ni había construido un arca; pero siguió todas las instrucciones sin importarle los curiosos que lo vieran de día y de noche con burla, quizás tildándolo de loco. Noé siguió sin reproche, sin queja, hasta terminar lo que había empezado.

Un día, yo hablaba con una amiga que está casada por muchos años; tiene hijos mayores y está trabajando en algo diferente al llamado que Dios le había hecho. Le pregunté qué había sido de su sueño. Se le llenaron los ojos de lágrimas y me dijo: *«Belén (mi segundo nombre), con el paso de los años los sueños se intensifican, nunca se van».* Esta conversación me hizo recordar un sermón en el que escuché decir a un pastor que los cementerios son lugares ricos porque allí yacen muchas canciones que no se escribieron, muchas iglesias que no se construyeron, muchos libros que no se publicaron por temor. Por eso, hoy te digo: haz una pausa, establece un antes y un después en tu vida y recuerda cuál fue la promesa que Dios te hizo. ¿Cuál fue esa palabra que Él dio a tu vida? Estoy segura de que es más fuerte que todo lo que pueden decir o pensar de ti.

Me sorprende tanto esta historia, porque no me había fijado en la edad que tenía Noé. Él no vio limitaciones para actuar en fe, tan solo recibió una palabra de su Señor. Muchas veces sus instrucciones no van a lucir igual a lo que nos hubiésemos imaginado; pero recuerda que el plan de Dios es perfecto y que siempre tendrá como resultado tu salvación. Así que, no te inquietes, ten paciencia, y no escuches las otras voces; solo sigue la voz de Dios, y al igual que Noé, llegará el día en que verás el arcoíris y dirás: «Dios cumplió lo que me prometió».

¿Recuerdas algún momento en que recibiste una instrucción de parte de Dios?

¿Recibiste alguna crítica al ir en pos de esa misión?

¿Qué versículo de la Biblia te anima a ser como Noé: diligente, perseverante, con los ojos puestos en la meta?

«Es tiempo de dejar todo atrás y empezar a andar».

(Fragmento de mi canción «Confía»)

No eres un error

«Yo soy Dios, tu creador;
yo te formé desde antes que nacieras,
y vengo en tu ayuda».

(Isaías 42:2a)

Llegó el día que tanto habíamos esperado, el ultrasonido que nos permitiría ver a nuestro primer bebé. Con varios meses de embarazo, tenía la expectativa de cómo sería ese primer encuentro. El doctor empezó a hacer el ultrasonido y a revisar que todo estuviera en orden. De repente, pude sentir que alguien me sostenía una mirada a lo lejos; eran sus ojos en la pantalla, dos puntos negros con forma achinada que parecían buscarme. Inmediatamente, le dije a mi esposo: *«me está mirando»*. Quise llorar de la emoción al sentir que lo pude conocer antes de que naciera. Nunca había sentido algo tan hermoso y especial. Al escribir estas líneas, Elías cumplirá dos años y aún conserva los mismos ojos rasgados que vi aquel día. Ahora entiendo este versículo: *«Tú creaste mis entrañas; me formaste en el vientre de mi madre. ¡Te alabo porque soy una creación admirable! ¡Tus obras son maravillosas, y esto lo sé muy bien!»* (Salmo 139:13,14).

Quiero detenerme en la frase *«tus obras son maravillosas»*. Todo lo que Dios crea es perfecto y llega en el momento indicado. Es decir, aun con tus imperfecciones eres perfecta y naciste en el tiempo en que debías nacer. La forma en que la versión RVA-2015 escribe este mismo pasaje me fascina, porque dice: *«me entretejiste en el vientre de mi madre»*. No sé si sabes tejer y tienes idea de todo el tiempo que puede tomar esta hermosa labor llena de esfuerzo y dedicación. Cuando mi niño nació le dieron preciosos regalos y entre ellos hubo dos que cautivaron mi atención: el primero fue un osito de peluche hecho a mano y el segundo fue una toalla con su nombre bordado. Estos regalos fueron muy significativos para mí porque detrás de ellos había personas que escogieron colores, compraron telas, pegaron botones, y separaron tiempo en su agenda para diseñarlos. Pensar que Dios nos creó de esta manera, llenas de detalles para hacernos únicas y especiales, me hace amarlo más.

Fuiste aprobada desde antes de estar en esta tierra y no existes por casualidad, sea que hayas nacido dentro de un matrimonio, fuera de él, o seas adoptada. Fuiste pensada para este tiempo, fuiste soñada; alguien ya te esperaba. *«Tus ojos vieron mi cuerpo en gestación: todo estaba ya escrito en tu libro; todos mis días se estaban diseñando, aunque no existía uno solo de ellos»* (Salmo 139:16).

¿Sabías que viniste personalizada? Dios te hizo a su agrado, con esas pecas, con ese color de cabello, de piel y de ojos, y lo mejor de todo es que no tuviste que competir con nadie. Fuiste de los primeros y mejores frutos de la creación (Santiago 1:18). La

Biblia dice que fuiste esculpida de la nada en algo precioso. No tuviste que hacer ningún mérito para ganarte su visto bueno, no necesitas escribir un libro, cantar, ser una abogada reconocida, o viajar por muchos países; es más, naciste sin hacer nada de eso, simplemente fuiste escogida por gracia y por amor. Por esta razón debemos estar alertas a todos los dardos del maligno que podamos recibir en nuestra mente, tratando de tergiversar esta verdad.

Mi papá siempre me dice: «El problema nunca va más allá del concepto». Si recordamos diariamente que vinimos con el sello de Dios y que tenemos su aprobación, no viviremos a expensas de lo que digan los demás. Recuerda que este mundo es superficial, se rige por lo que ve, como la apariencia física, la posición social y el talento. Por esta razón, si no tienes claro de dónde proviene tu valor, será fácil dejarte llevar por la corriente de dudas y frustración del enemigo.

Hace poco viajamos a otra ciudad con mi familia. Fuimos a un restaurante, pero no estábamos vestidos de etiqueta; nos pararon en la puerta y no nos dejaron entrar, porque supuestamente no había espacio en el lugar, aunque sí lo había. En ese momento me llegó un pensamiento de inferioridad, diciéndome: *«una vez más no cumples con las expectativas»*. Es increíble todo lo que puede pasar por nuestra mente en un segundo; nuestra humanidad siempre nos llevará a pensar lo peor. Entonces Dios me hizo recordar la historia de María y José, cuando ella estaba embarazada, y junto a José buscaron posada; pero no había lugar para ellos. Esto no los hizo sentirse mal, porque sabían que fueron escogidos para una gran misión. Ellos sabían que habían hallado favor delante de Dios para ser los padres terrenales de Jesús, nuestro Señor, y que nada ni nadie detendría lo que el Señor ya había determinado.

El problema nunca debe ir más allá del concepto. NO ERES UN ERROR, pese a los «no» que puedas recibir del hombre, o las puertas que se puedan cerrar. No olvides que eres del Señor y para Él. Aquel que te formó y puso en ti un propósito vendrá en tu ayuda, no te dejará ni te abandonará, porque eres su obra maestra.

«Escúchame, familia de Jacob, todo el resto de la familia de Israel, a quienes he cargado desde el vientre, y he llevado desde la cuna. Aun en la vejez, cuando ya peinen canas, yo seré el mismo, yo los sostendré. Yo los hice, y cuidaré de ustedes; los sostendré y los libraré». (Isaías 46:3,4).

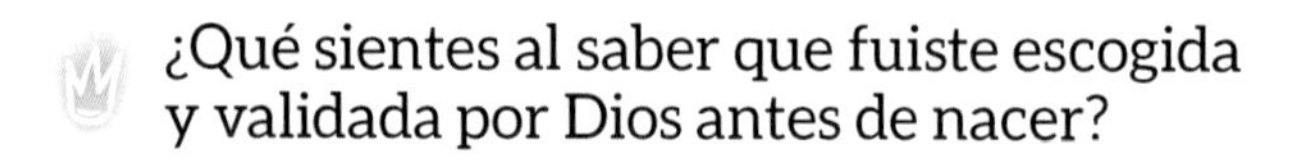

- ¿Qué sientes al saber que fuiste escogida y validada por Dios antes de nacer?

- ¿Qué versículo te ayuda a contrarrestar los pensamientos de inseguridad? Si no tienes alguno, escoge uno de este capítulo y memorízalo.

- ¿Qué viene a tu mente cuando escuchas las palabras «obra maestra»?

«Tú sostienes mi mundo en tus manos,
quiero permanecer a tu lado».

(Fragmento de mi canción «Tú me sostendrás»)

Hay espacio para todos

«Mi gloria es amarte, la tuya es salvarme» -

Anna Ly,

"Con todo el corazón"

Mi esposo y yo estábamos de visita en otra ciudad y aprovechamos para saludar a un buen amigo, que es un reconocido productor musical y guitarrista. Mientras desayunábamos, le empezamos a hacer muchas preguntas; una de ellas se refería a cuál era su actitud frente a constantes comparaciones que le hacían con otros productores musicales. Sabiamente respondió: «*Hay espacio para todos*».

Su respuesta llamó mucho mi atención porque hoy en día es difícil encontrar a una persona que hable bien de su competencia y que pueda compartir el reconocimiento. Como seres humanos tendemos siempre a querer ser el centro de atención. Esto es algo que se puede notar en los niños; quieren todo para ellos, y muchas veces les cuesta compartir con los demás. Nuestra naturaleza pecaminosa nos hace enfrentarnos a diario con un gigante llamado ego. Esta es una palabra que proviene del latín y significa «yo». Esto hace que nos creamos diferentes al prójimo y nos veamos por encima de él. El ego está directamente relacionado con el egoísmo, que es no querer que los demás sobresalgan y tengan nuestras mismas oportunidades. Y si las llegan a tener, nos hace tener un grado de frustración que nos lleva a olvidar que Dios nos ama a todos por igual y que quiere que todos seamos salvos y bendecidos de la misma manera.

¿Has leído alguna vez la historia del hijo pródigo? Hoy no hablaremos de él, pero sí de su hermano. El hijo mayor tuvo una crisis muy fuerte con su ego cuando apareció su hermano menor, que había decidido voluntariamente dejar su casa e ir a disfrutar la vida, malgastando su herencia. Leamos lo que sucedió: «*El hijo mayor regresa del campo, de trabajar y cumplir sus labores, cuando a lo lejos escucha celebración, música y dan-*

za» (Lucas 15:25, RVR1960). Pregunta a unos de los criados sobre esa celebración y el criado le responde: *«Tu hermano ha venido; y tu padre ha hecho matar al becerro gordo, por haberle recibido bueno y sano»* (v. 27). Entonces, este hijo mayor, se enojó y no quiso entrar en casa para celebrar junto a su padre el regreso de su hermano (v. 28a).

Seguidamente, vemos cómo su enojo le hizo reclamar a su padre su acción, recordándole lo obediente que era con él y lo mucho que le había servido. En otras palabras, si alguien merecía ese gran recibimiento era él y no su hermano menor. Quizá te estés sonriendo ahora, como yo, porque nos sentimos identificadas. He estado en los zapatos del hermano mayor en varias ocasiones. Nos creemos perfectas, pero realmente podemos estar más necesitadas que todos lo que nos rodean, e incluso que aquellos que se han apartado. El orgullo, el ego y el egoísmo no nos permiten darnos cuenta de todas las bendiciones que tenemos alrededor y nos hacen sentir insatisfechas con lo que somos y poseemos.

El ego no nos permite ser agradecidas con las puertas que hoy están abiertas y las bendiciones que tenemos diariamente, como: un plato caliente de comida en nuestra mesa, nuestra familia, nuestros padres, nuestro esposo, nuestra iglesia, nuestro trabajo. Me asombra la respuesta que da el padre ante tan injusto reclamo: *«Hijo, tú siempre estás conmigo, y todas mis cosas son tuyas»* (v. 31). ¿Qué más queremos si nuestro Padre celestial ya nos lo ha dado todo? No seamos como aquel hermano mayor, que estaba actuando como hijo pródigo al concentrarse en detalles que no tenían importancia, como la fiesta, olvidando el amor de su padre y el beneficio de ser su hijo, que como primogénito lo hacía el heredero de todo.

Preguntas de reflexión:

¿Qué enseñanza te deja la reacción del hijo mayor?

¿Por qué crees que reaccionó de esa manera?

¿Cuál hubiese sido la reacción correcta?

«Mi gloria es amarte,
la tuya es salvarme».

(Fragmento de mi canción «Con todo el corazón»)

Ruge

«Ha rugido un león,
¿quién no temerá?
Ha hablado el Señor Dios,
¿quién no profetizará?»
(Amós 3:8)

Era la primera vez que llevábamos a Elías al zoológico. Teníamos muchas ansias de ver su reacción al conocer todos los animales. Recuerdo que era uno de esos días en que tenía mi autoestima por el piso, ya que estaba atravesando por el problema en mis cuerdas vocales y tenía muchas preguntas en mi cabeza. Después de ver tantos animales, llegó el turno de visitar al león que, para mi sorpresa, estaba dormido, echado en el piso; lucía cansado. No había nada ni nadie que lo hiciera parar. Como el león no se movía, decidimos retirarnos.

De repente, se paró y empezó a caminar con pasos firmes, desfilando delante de nosotros; su sola presencia inspiraba respeto. Sin que fuera parte de algo programado, el león se dirigió a una plataforma, donde subió cada uno de los peldaños, se paró en una esquina, y empezó a rugir 25 veces. De un momento a otro, el lugar que estaba vacío empezó a reunir a muchas personas que empezaron a aplaudir; sus rostros mostraban sorpresa y exclamación; éramos testigos de algo sobrenatural. El león tenía su mirada puesta en nosotros. Yo empecé a llorar, porque pude sentir a Dios diciéndome: «*Anna Ly, llegó el tiempo de rugir*». Después de esta experiencia, mi papá me escribió estas líneas que hoy te quiero dedicar:

«Querida hija, hace pocos días visitamos el zoológico y vimos al león. ¿Lo recuerdas? Estaba echado, parecía muerto; de pronto

se levantó y caminó imponente delante de todos y rugió como conversando con nosotros. Así es la autoridad que el Señor te ha dado. No nace en tu voz, no nace en el talento, no es en el arte; nace en tu corazón. Allí descansa solo por un rato, por un pequeño tiempo de proceso, hasta fortalecerse para luego volver a lanzar tu voz cual rugido de león, con nuevas fuerzas, nuevas letras, nueva unción».

Hay días en que nos vamos a sentir sin fuerzas, sin razón para seguir, olvidando así nuestra identidad. Los demás nos verán como leonas, pero los pensamientos de inferioridad no nos permitirán alcanzar a distinguir quiénes somos en verdad. Y esto nos mantendrá calladas, sin emitir un solo sonido, un sonido que el mundo está esperando escuchar.

Hay un rugido especial y único que solo tú puedes emitir. Lo especial que Dios te ha dado ya reposa en tu ADN, por el simple hecho de ser su hija. Tu identidad fue dada por Dios, por el León de la tribu de Judá. Recordar quién eres te ayudará a encontrar tu valor y a tener confianza en lo que reposa en tu interior. El león no es el más grande, ni el más rápido de la selva; pero lo que lo diferencia de los demás es su mentalidad. El saber quién es lo hace lo que él es: el rey de la selva. *«El león, poderoso entre las bestias, que no retrocede ante nada»* (Proverbios 30:30).

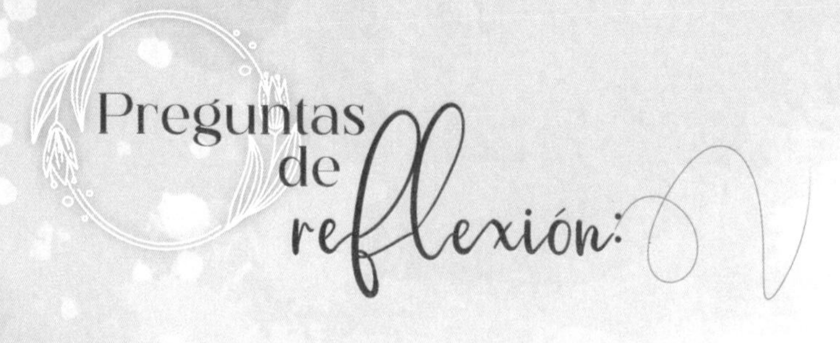

¿Cómo cultivas tu autoestima
para mantenerte fuerte y sensata?

¿Qué puedes aprender del carácter del león?

*«Escucho una voz, de repente,
hablando a mi corazón, suavemente
diciendo: "Hijo mío, te amo
enteramente"».*

(Fragmento de mi canción «Vida Nueva»)

Completa

*«Y el Dios de paz
os santifique completamente;
para que vuestro espíritu, alma y cuerpo
sea guardado entero sin reprensión
para la venida del Señor
nuestro, Jesús el Cristo».*

(1 Tesalonicenses 5:23, JBS)

¡Qué fácil es dejarnos llevar por todo lo que vemos! ¡Qué fácil es comparar nuestra vida con la de los demás! Cada día el mundo y sus apariencias nos envuelven a través de las redes sociales, las novelas y las películas; lo cual nos hace desear tener todo lo que no tenemos, porque creemos que eso nos dará la felicidad y nos hará sentir llenas.

Yo solía compararme con todo lo que veía en las redes, y por ende, comparaba también a los demás. Producto de lo que veía en las publicaciones empecé a quejarme con mi esposo. «*Mira, este esposo le regaló esto a su esposa*» o «*Mira a dónde la llevó de visita*». Entraba en una insatisfacción tal que me empecé a sentir vacía. Esto causó muchas heridas, no solo en mí sino también en él. Recuerdo que mi esposo me decía: «*¿Por qué nunca estás contenta con lo que te doy? ¿Por qué siempre quieres más para sentirte bien?*» Él, sabiamente, me recordó lo importante que es darle gracias a Dios por lo que tenemos y también por lo que no tenemos. Me llevó a darme cuenta de que mucho de lo que se ve son simplemente apariencias.

Debemos ser agradecidas de que, por tener la gracia de Dios, gozamos de una familia unida. Él tenía la razón; yo me comparaba con personas que parecían tener la mejor historia de amor, y al cabo de unos días ya no estaban juntos. No todo lo que vemos es real; a veces solo son espejismos que resultan ser producto de una falsa autoestima, un mecanismo de defensa que usamos para esconder nuestras inseguridades. Tan bello es lo que proyectamos en el exterior que terminamos creyendo que somos felices, cuando por dentro buscamos desesperadamente serlo.

Esto me recordó una mansión que unos amigos nos llevaron a conocer. Apenas llegamos a ese lugar, mis ojos brillaron; ya me veía viviendo allí. Empecé a tomarme fotos en cada esquina y no paraba de repetirme: «quiero una casa así». Ese lugar parecía un sueño. Estaba tan deslumbrada con todo a mi alrededor que automáticamente me sentí insatisfecha de la casa donde hacía poco me había mudado. La mansión tenía alrededor de trece habitaciones. Había sala de bolos, cuarto de juegos, un gimnasio; pero no había nadie para poder disfrutarla. Llevaba muchos meses abandonada. Nadie la quería comprar, ni habitar. Se vendía a un precio muy elevado. Nos enteramos de que esa casa quedó al abandono cuando los dueños se divorciaron después de muchos años de matrimonio. Las hijas se fueron a vivir a otras ciudades y una de ellas acabó con su vida. Se respiraba soledad.

De un momento a otro, la casa empezó a lucir bastante grande, silenciosa, llena de polvo y descuidada; comencé a sentir nostalgia porque no podía creer que algo así se hubiera echado a perder. Leí esta frase de una canción y me llamó la atención: «Oh, ella no ve la luz que brilla más profundo de lo que los ojos pueden encontrar, porque las chicas de portada no lloran después de estar maquilladas»[10].

Muchas veces somos como esa casa: lucimos bien por fuera, pero no tiene relación con lo que hay por dentro. El lujo y las riquezas no logran llenar el vacío que tenemos en el corazón. El Salmo 16:2 (RVR1960), nos recuerda: *«Tú eres mi Señor; no hay para mí bien fuera de ti»*. La buena noticia es que tenemos alguien que pagó con su sangre el precio más alto por nosotras: Jesús, nuestro Salvador. Su amor desmedido está dispuesto a llenarnos hoy, sin importar cuál sea nuestra necesidad, y a derramar su perfección en cada habitación descuidada de nuestra vida, para que nunca más nos volvamos a sentir solas y vacías. Él quiere hacernos sentir completas nuevamente.

[10] Cara, Alessia. (2015). ***Scars to your beautiful***. Def Jam Recording.

¿Qué es para ti la felicidad?

¿Cómo te imaginas tu casa? ¿A quién imaginas en ella?

¿Qué te hace sentir completa?

«La obra que Él empieza termina brillando».

(Fragmento de mi canción «**Brillando**»)

La voz de la verdad

«Antes que te formase
en el vientre te conocí,
y antes que nacieses te santifiqué,
te di por profeta a las naciones».
(Jeremías 1:5, RVR1960)

Quiero compartir contigo la fascinante historia de Jeremías, que me ha ayudado en mi diario vivir. Seguramente habrás escuchado sobre «el profeta llorón», como también se lo conoce. Jeremías era un hombre temeroso y fiel a Dios, que fue llamado a profetizar a Judá, para advertirles de su destrucción si no se arrepentían de la idolatría y la inmoralidad.

Jeremías tenía diecisiete años y había sido escogido para llevar el mensaje de arrepentimiento, un mensaje que nadie quería escuchar. Este profeta se definía a sí mismo como «niño»; es decir, pensaba que no era apto o calificado para llevar a cabo esta misión. Al ver esto, Dios lo exhortó y lo animó a través de unas palabras que afirmarían su identidad y le recordarían quién era: *«Pero el Señor me dijo: "No digas: 'Soy muy joven', porque vas a ir adondequiera que yo te envíe, y vas a decir todo lo que yo te ordene"».* (Jeremías 1:7). Dios sabía lo necesarias que eran esas palabras para que Jeremías se embarcara seguro en esa jornada. Sin ese recordatorio su mente sería hogar para pensamientos distorsionados, de baja autoestima, que le impedirían cumplir con su propósito.

Es verdad lo que dicen: el miedo paraliza. Lo vemos en Jeremías al inicio de esta historia. Fueron las palabras de Dios las que lo pusieron en camino a convertirse en un gran profeta. Definitivamente, una voz puede animarte o frenarte; soy testigo de esto. Cuando me invitaron a cantar en la Iglesia Lakewood, en el servicio en español, al ver lo grande que era la iglesia, a los músicos que admiraba, y a muchas personas quizá más «capacitadas» que yo, me asusté tanto que los nervios me hicieron olvidar que Dios me había llevado con una consigna especial: compartir el mensaje de fe y salvación a través de mis canciones. Me concentré en mis limitaciones y me sentí una «niña». Rápidamente, le dije a mi esposo: *«Amor, por favor, léeme el primer capítulo de Jeremías»*. Automáticamente, sentí cómo la voz de Dios rebosó mi copa y me recordó el llamado que me había hecho, y solo así pude salir a ministrar con mis ojos puestos en Él y no en los demás.

Es normal sentirse nerviosa ante nuevos desafíos; pero esto nunca debe ser por falta de seguridad en quiénes somos en Dios y lo que Él nos ha llamado a hacer. Los pensamientos de baja autoestima nacen producto de la voz de algo o alguien que hemos permitido entrar a nuestro corazón. Nuestro adversario, el diablo, se valdrá de todas las herramientas posibles para que no nos guste lo que vemos en nosotras; por esta razón, debemos estar apercibidas y diariamente decidir escuchar la voz de Dios, la voz de la verdad.

«La voz de la verdad me cuenta una historia diferente
La voz de la verdad dice: *"¡No temas!"»*
La voz de la verdad dice: «Esto es para mi gloria»
De todas las voces que me llaman
Decidiré escuchar y creer la voz de la verdad».

(Fragmento de la canción ***«Voice of truth»***[11],
de Casting Crowns)

[11] Hall, M., Curtis Chapman, S. (2003). ***Voice of Thruth***. Casting Crowns. Beach Street Records

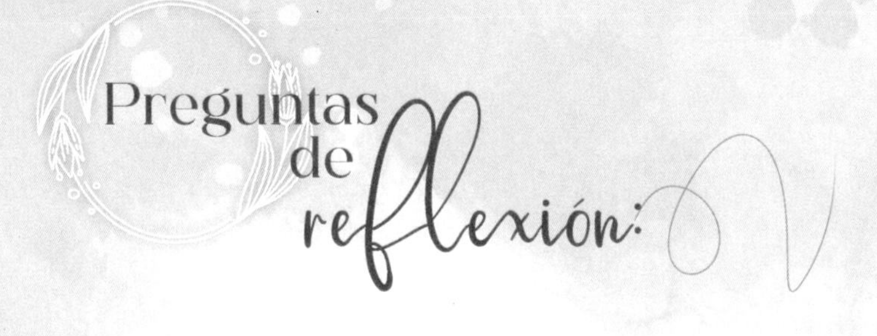

¿Te has sentido como Jeremías alguna vez? ¿Te has sentido como una «niña» cuando se trata de cumplir algo que Dios te ha llamado a hacer?

¿Hay algún versículo de la Biblia que te anima a seguir adelante en tiempos de aflicción, de nerviosismo o de incertidumbre?

¿Cómo describirías la voz de Dios?

No pares

«Ana elevó esta oración:
mi corazón se alegra en el Señor;
en él radica mi poder.
Puedo celebrar su salvación
y burlarme de mis enemigos».

(1 Samuel 2:1)

Me emociona saber que llegamos a este último capítulo y que me has permitido acompañarte en esta maravillosa jornada. Estoy consciente de que el caminar cristiano no es fácil y que requiere menguar cada día para que Dios nos haga crecer. En otras palabras, descansar en Dios, porque Él tiene el control y en Él se encuentra nuestra fortaleza.

Es importante que tengamos esto presente porque en la vida siempre habrá alguien o algo que nos quiera hacer sentir mal y nos lleve a cuestionar nuestro valor. Esto me recuerda la vida de Ana; esta mujer es un gran ejemplo en la Biblia de lucha y perseverancia. Ana llegó a sentirse como quizá muchas veces nos hemos sentido: incapaces, que no damos la talla. En su caso, ella no podía tener hijos, y no bastando esto, tenía el constante recordatorio de Penina, la otra mujer de su esposo Elcana. Ella la irritaba al punto de que, por su aflicción, Ana no quería comer. Pero esto no la detuvo de ir y presentarse delante de Dios, porque tenía fe de que Él podía cambiarlo todo.

Cuando estaba con su Señor no le importaba quién la veía. Un día, Elí, el sacerdote, la observaba mientras ella oraba. La tuvo por ebria porque Ana hablaba en su corazón mientras movía sus labios, sin que se escuchara palabra alguna. ¡Qué oración tan sincera hizo Ana, que Dios la escuchó y le concedió su milagro! *«Aconteció que al cumplirse el tiempo, después de haber concebido Ana, dio a luz un hijo, y le puso por nombre Samuel, diciendo: Por cuanto lo pedí a Jehová»* (1 Samuel 1:20, RVR1960).

¿Qué le has pedido a Dios? ¿Qué estás esperando de parte de Él? La esperanza de Ana no se rindió ante comentarios de personas como Penina o Elí. Ella siguió peleando la buena batalla, porque sabía que Dios convertiría su peor escenario en su plataforma.

Dios te ha dado una plataforma; no te quejes del proceso, porque hay una audiencia que está pendiente de tu historia. Todos esperan ver la respuesta y la actitud que tienes ante algo que no has recibido, y tu actitud será la manera en que ellos conozcan de Jesús; por eso, ¡NO PARES!. Aunque no tengas fuerzas, sigue orando; aunque te sientas atribulada, sigue creyendo; aunque no tengas voz, sigue adorando, y pelea por los sueños que Dios puso en tu corazón, porque si Él los colocó allí es por una razón especial. Recuerda que tu milagro solo requiere fe.

Para cerrar con broche de oro, te invito hoy a elevar esta oración. ¿Le permites a Dios hacer la obra completa en tu corazón?:

«Señor Jesús, te doy gracias por recordarme mi propósito y lo que valgo. Ahora sé que soy corona de gloria en tus manos. Perdóname por haber permitido que mis experiencias de dolor me hayan alejado de ti. Hoy decido ser como Ana. Derramo mi corazón como un perfume delante de ti y pido que se haga en mí, tu perfecta voluntad. Sé que los planes que tienes para mí son de bien y no de mal, para darme un futuro y una esperanza. Hoy te entrego cada una de mis lágrimas, para que sean transformadas en perlas que testifiquen de tu amor. Permite que sea una plataforma de tu poder y misericordia. Te acepto como mi único Señor y Salvador. Gracias por morir por mí en la cruz. Escribe mi nombre en el Libro de la Vida. Desde hoy soy tu hija y tú eres mi Padre. Las únicas palabras que permitiré entrada a mi corazón serán las tuyas. En el nombre de Jesús, amén».

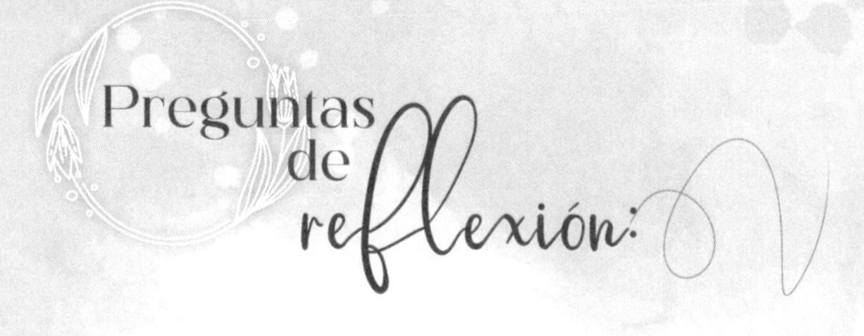

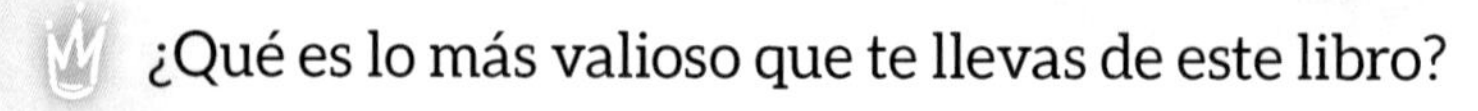

¿Qué es lo más valioso que te llevas de este libro?

¿Cuáles actitudes de Ana tomarás como ejemplo para tu vida?

¿En qué aspectos de tu vida has decidido descansar y entregar tus cargas a Dios?

«Tu historia acaba de empezar».

(Fragmento de mi canción **«No pares»**)

Una nota para ti

Si has hecho este devocional de 30 días me gustaría felicitarte personalmente y orar por ti. Te invito a que me escribas a mi correo personal hello@anna-lymusic.com y me compartas tu experiencia. No olvides dejar tu contacto porque queremos comunicarnos contigo.

Recuerda que esta búsqueda de la belleza interna no acaba aquí, dependerá de ti disponer tu corazón diariamente para encontrarte con Dios y permitirle a Él que te siga dando forma como barro en las manos del alfarero. ¿Qué mejor alfarero que Él? Recuerda que mientras más trabajado sea el diamante más brillo tendrá.

Es hora de brillar con la esencia que Dios puso en ti para que así tu vida sea un testimonio e inspiración para los que te rodean. Aparta un tiempo con Dios en oración y en lectura de su Palabra y serás testigo de la obra maestra que Dios hará en tu identidad y autoestima.

Te animo a seguir adelante
con tus ojos puestos en Él.

Tu historia acaba de empezar.

Anna Ly es una joven cantautora ecuatoriana quien a través de la música, y ahora, las letras, comparte un mensaje de amor y fe basado en historias personales y experiencias de vida en las que ha podido ver obrar la mano de Dios.

En el año 2015, grabó su primer álbum titulado *«El guardián de mis sueños»*, que la ubicó en carteleras a temprana edad. A comienzos del 2021 lanzó su álbum *«Este no es el final»*, producido en su mayoría por su esposo, el reconocido productor musical colombiano, Anuar Eljadue. Este álbum, que contó con algunas colaboraciones muy especiales, incluye canciones como *«Estoy junto a ti»* feat. Manny Montes; *«Guardián de mis sueños»* feat. Gilberto Daza; y *«No pares»*, escrita con Melanie Oliva, e interpretada junto a Noemí Prado, Jadi Torres y Anagrace; sencillos que han catapultado su carrera. También ha hecho su debut en el mercado anglo con el apoyo de grandes productores como Seth Mosley de FCM, ganador de premios Grammy y Dove Awards.

Anna Ly y Anuar tienen un precioso niño, Elías Gael, y están esperando a una niña a la que llamarán Ivanna Mía. Juntos pastorean la alabanza en la iglesia Lifepoint Church, en Sunrise, Florida, y viajan por diferentes países llevando su tour *«Este no es el final»* y dando conferencias relacionadas con la autoestima y los sueños.

Anna Ly es embajadora de dos fundaciones: *«Dame tu mano»*, que ayuda a los niños del Ecuador; y la Fundación Internacional *«Seed's of Hope»*, que rescata a las jovencitas de la esclavitud sexual.

- 500k+ vistas en YouTube

- 200k+ reproducciones en Spotify

- **Posiciones importantes en *playlists***
  Apple Music: «*Essentials*» y «*Alabanza y Adoración*»
  Spotify: «*Novedades cristianas*» y «*New Music Friday Christian*»

- **Portada para:**
  Spotify: «*Novedades cristianas*»
  Amazon Music: «*Voces de fe*»

- **Entrevistas en televisión**
  TBN, Univisión, Enlace TV, y MEGA TV

Para más información
y contacto, visita
www.anna-lymusic.com

Conecta con *Anna Ly*
en sus redes sociales
info redes

- **Apariciones en revistas**
  People en Español

- **Presentaciones en tv, radio y ceremonias de premiación**

¡Despierta América! (Univisión)
Acceso Total (Telemundo)
Premios Redención, Lakewood Church (Houston) - Ganadora como «*Mejor* ***Influencer***»

Nominada para «*Álbum del año*» y «*Dueto del Año*» en Premios Redención, Playstation Theater, NY

Reconocimiento por la Asamblea Nacional del Ecuador, como representante ecuatoriana

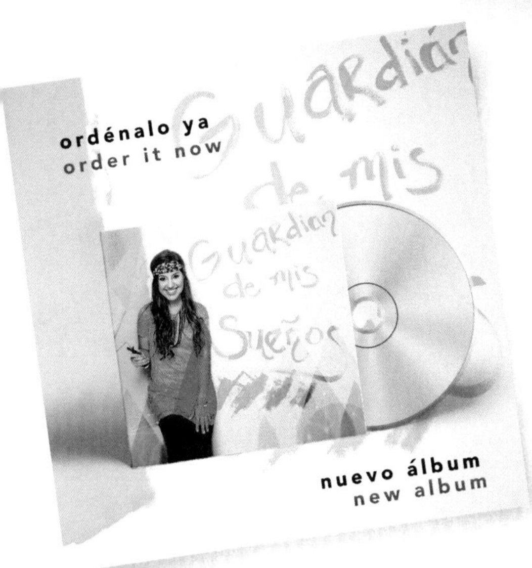

ÁLBUM

Disponible en Spotify, Apple music, Amazon

GUARDIÁN DE MIS SUEÑOS

Contiene sus éxitos:

«Fuerte»,
«Tu gloria me enamora»,
«Mayores cosas»,
y «Confía», entre otros.

MERCHANDISING

Lleva la frase ***«NO PARES»***
donde quiera que vayas y recuerda tu valor en Dios.

Estos y más modelos disponibles aquí:
Adquiérelos en www.anna-lymusic.com

NO PARES

tu historia acaba de empezar

Anna Ly